Hans Paasche

Die Forschungsreise des Afrikaners Lukanga Mukara ins innerste Deutschland

Geschildert in Briefen Lukanga Mukaras
an den König Ruoma von Kitara

(Großdruck)

Hans Paasche: Die Forschungsreise des Afrikaners Lukanga Mukara ins innerste Deutschland. Geschildert in Briefen Lukanga Mukaras an den König Ruoma von Kitara (Großdruck)

Erstdruck: Werther bei Bielefeld, Fackelreiter, 1913. Hier nach der 5. Auflage von 1922, herausgegeben von Franziskus Hähnel.

Neuausgabe
Herausgegeben von Theodor Borken
Berlin 2020

Umschlaggestaltung von Thomas Schultz-Overhage unter Verwendung des Bildes: Konstantin Makovsky, Afrikaner, 1882

Gesetzt aus der Minion Pro, 16 pt, in lesefreundlichem Großdruck

ISBN 978-3-8478-4673-4

Die Deutsche Nationalbibliothek verzeichnet diese Publikation in der Deutschen Nationalbibliografie; detaillierte bibliografische Daten sind im Internet über www.dnb.de abrufbar.

Henricus Edition Deutsche Klassik UG (haftungsbeschränkt), Berlin
Herstellung: BoD – Books on Demand, Norderstedt

Vorwort

des Herausgebers zur fünften Auflage von 1922

Als in den Jahrgängen 1912 und 1913 der nunmehr mit dem »Kunstwart« verschmolzenen deutschen Zeitschrift für das Menschentum unserer Zeit »Der Vortrupp« die ersten Briefe des Negers Lukanga Mukara von Hans Paasche veröffentlicht wurden, da erregten sie großes Aufsehen. Hans Paasche war damals Mitherausgeber des von Dr. Hermann Popert begründeten »Vortrupp«. Alle Kräfte, die um die Aufartung unseres Volkes bemüht waren, wollte diese Zeitschrift widerspiegeln. In den Lukanga-Mukara-Briefen schlug Hans Paasche dazu einen neuen Ton an. Er ließ unser Land und Volk mit den Augen eines von jeder abendländischen »Kultur« unberührt gebliebenen offenen Negerhäuptlings schauen und in den Briefen an seinen König schildern.

Wer ist Lukanga Mukara? – Hans Paasche sagt es in seiner kurzen Einleitung zu den im »Vortrupp« erschienenen Briefen, die um drei zuerst in Walter Hammers »Junge Menschen« von mir veröffentlichten Briefen vervollständigt worden sind. Hans Paasche hatte sie mir während des Krieges zur freien Verfügung und zu späterer Veröffentlichung übergeben. Während des Krieges hätte die Zensur den Abdruck nicht zugelassen, obwohl sie sämtlich vor dem Kriege geschrieben worden sind. Die Urgestalt des Lukanga Mukara war ein Negerbursche, den Hans Paasche zur Bedienung hatte, als er seine Hochzeitsreise mit seiner jungen Frau Ellen nach den Nilquellen machte. Die Aufzeichnungen über diese Hochzeitsreise, zurzeit bis auf Bruchstücke noch unveröffentlicht, zeigen, dass Hans Paasche schon damals im Umgange mit einem klugen Negervolke die Zustände und »Kulturerrungenschaften« in Deutschland kritisch betrachtete und sich die Frage zu beantworten versucht hatte: Welchen Segen oder Unsegen bringt unsere deutsche Kultur einem Volke, das bisher von ihr unberührt geblieben ist? Da kam er auf seiner »Hochzeitsreise nach den Quellen des Nils« in seiner Schilfhütte von Ukarewe, am Strande des Viktoriasees (Januar 1910) u.a. auch zu folgendem Schlusse: »Je länger ich aber hier lebe, desto mehr sehe ich, dass wir vorsichtig sein müssen mit dem, was wir den Negern bringen. Wir halten wirklich vieles für gut, was in Wirklichkeit schädlich wirkt.«

Hans Paasche war damals immer stärker in den Gedanken der Lebensreform hineingewachsen. Er war davon überzeugt, dass so viele Unsitten und Missstände in unserem Vaterlande besiegt werden könnten, wenn viele Volksgenossen gleich ihm überzeugte Lebensreformer würden. Da war es ihm bedeutsam, wie ein Mann, der von solchen Dingen noch unberührt geblieben war, sie sehen und beurteilen musste. Hans Paasche hat mir mehrfach erzählt, wie ihn die Urteile seines Burschen gar oft weniger belustigt als zum Nachdenken gebracht hatten. Diese Einwirkung ist auch bei einem so warm aufgenommenen Vortrage auf dem VII. Deutschen Abstinenztage 1911 »Was ich als Abstinent in den afrikanischen Kolonien erlebte« (Mimir-Verlag, Stuttgart) zu spüren und ebenso in seiner Vortrupp-Flugschrift »Die Federmode« (Hamburg, Alfred Janssen, Vortrupp-Verlag).

Hans Paasche ist nie ein Freund der »grauen Theorie« gewesen; die Tat stand ihm über alles. Und so hoffte er auch, dass die Lukanga-Mukara-Briefe viele zur Tat führen könnten. Ihm galt es, offene Augen zu schaffen für das was schlecht und morsch war. Und dann offene Herzen zur Willensauslösung, zum kraftvollen Handeln. Deutsche Frauen und Männer, deutsche Jugend, – ihr könnt die Bahn frei machen zum Aufstieg, wenn ihr nur wollt. So dachte und sprach Hans Paasche. So glaubte er an die Zukunft unseres Volkes. Alle, die ihn verehren, sollten gleich ihm sich einsetzen. Gewiss werden die Lukanga-Mukara-Briefe nicht nur Hans

4

Paasches Gedenken unter uns auffrischen, sondern die Zahl derer vermehren helfen, die sehend werden und unser Volk von »modernen« Unsitten frei machen wollen. Deshalb bin ich gern dem Wunsche zur Herausgabe der Briefe gefolgt.

Franziskus Hähnel

Einleitung

Auf meiner letzten Reise nach Innerafrika besuchte ich ein unerschlossenes Land, das eine eigene, alte, von europäischer weit abweichende Kultur hat. In seiner wundersamen Abgeschlossenheit bewahrte dies Land bis in unsere Tage Zustände und Volkssitten, die zum Vergleich mit der eigenen Denkart, der eigenen »Kultur« anregen. Ich konnte mich bisher nicht entschließen, über dies Land etwas zu veröffentlichen. Schien es mir doch, als genüge eine Reise von kaum fünf Monaten in jenem Lande nicht, um auf einen ganz vorurteilsfreien Standpunkt zu kommen. Ich brachte den Eindruck mit heim, dass unerschlossene Länder und Urvölker für uns ein Segen seien, weil wir an ihnen, die alle Errungenschaften unserer Kultur nicht kennen und nicht entbehren, die unsere Vorzüge nicht haben, aber auch von unseren Fehlern und Gewohnheiten frei sind, lernen können, uns selbst besser zu erkennen. Es blieb bei mir bis jetzt im wesentlichen bei diesem Bewusstsein. Fern lag es mir noch, mit solchen Betrachtungen hervorzutreten und zur Kritik unserer Zustände aufzufordern. Da fügte es ein ungewöhnliches Ereignis, dass mir meine Aufgabe offenbar abgenommen wurde.

Ein Neger, den ich am Hofe des Königs Ruoma traf, ist meiner Anregung gefolgt und hat sich von dem Herrscher des Landes Kitara den Auftrag geben lassen, Deutschland zu bereisen. Lukanga Mukara ist wie sein Name sagt, ein Mann, der von der Insel Ukara im Viktoriasee stammt. Er ist frühzeitig von der übervölkerten Insel nach der Nachbarinsel Ukerewe ausgewandert und hat dort bei den »weißen Vätern« Lesen und Schreiben gelernt. Dann ist er auf einer Reise dem Pater, den er begleitete entlaufen und bei Ruoma, dem König von Kitara geblieben, wo er als Dolmetscher, Erzähler und Gerichtsberater seine reichen Kenntnisse verwertete. Dort lernte ich ihn kennen.

Die Briefe des Lukanga haben einen besonderen Wert. Der fremde Mann legt an die Zustände in Deutschland seinen Maßstab. Was uns gewohnt erscheint, fällt ihm auf. Seine Beobachtungsgabe und die Nacktheit seines Urteils bringen es mit sich, dass er bedeutend über Dinge sprechen kann, denen wir selbst gar nicht einmal unbefangen gegenüberstehen können.

Hans Paasche

Erster Brief

Von Münzen, »Kultur« und Briefen

Berlin, den 1. Mai 1912

Omukama! Großer und einziger König!

Ich schreibe Dir als Dein gehorsamer Diener, den du aussandtest, zu sehen, ob es einen König gebe, der Dir gleiche und ob ein Land sei, das, von Menschen bewohnt, den Menschen mehr zu bieten habe als Dein Land, Kitara, das Land der langhörnigen Rinder.

Lass mich die Antwort auf diese Fragen gleich vorwegnehmen: es gibt kein solches Land, es gibt keinen solchen König.

Was ich auf meiner weiten Reise sah, ist aber wert, dass Du es wissest, und wenn ich gesund heimkehre, kann ich es Dir auch selbst erzählen, und du erfährst es dann genauer, als wenn Dir Ibrahimu, der Mann von der Küste, meinen Brief alleine, und, wenn es Dein Wille ist, noch öfter im Kreise Deiner Wakungu[1] vorliest.

Als du mir zu reisen befahlst und mir aus Deinem weiten Reiche zwölfhundert marschfähige Rinder und zweitausend Ziegen mitgabst, damit ich bezahlen könne, was meine Reise im fremden Lande koste, da wusste niemand, dass ich schon jetzt, nach zwei Monden, kein einziges Deiner blanken Rinder mehr bei mir haben würde, und dass ich trotzdem, dank Deinem Reichtum und Deiner Macht nicht Not leiden würde.

Ich habe schon am großen See der Wasukama alle Deine Rinder und Ziegen gegen Metallstücke eingetauscht und diese Metallstücke wieder gegen ein beschriebenes Papier. Damit bin ich dann alleine weitergereist, und wo ich das Papier zeige, da bekomme ich die

---

1   Zum Hofdienst befohlene Adlige.

8

Münze, die ich gebrauche, um Nahrung zu kaufen. So mächtig wirkt Dein Name.

Wisse: das Land, in dem ich jetzt reise, heißt Deutschland. Die Eingeborenen des Landes bezahlen nicht mit Rindern und Ziegen, auch nicht mit Glasperlen oder Kaurimuscheln oder Baumwollstoff; kleine Metallstücke und buntes Papier ist ihre Münze, und das Papier ist wertvoller als das Metall. Es gibt ein braunes Papier, das ist mehr wert als eine ganze Zahl Deiner Rinder. Es ist etwa so, als wenn man am Sabinjoberge vier tragende Kühe für einen geflochtenen Grasring kaufen könnte. (Dabei weiß doch jeder Hutu[2], dass man für zwanzig Grasringe noch nicht so viel Brennholz bekommt, wie eine Familie gebraucht, um sich in der Regenzeit eine warme Nacht zu gönnen!) Ich glaube, Dein Gesicht zu sehen, wie Du lachst über den Unsinn, den ich Dir aus Inner-Deutschland erzähle. Aber, großer König, eins muss ich Dir jetzt immer wieder sagen: Die Eingeborenen des Landes empfinden diesen und noch viel größeren Unsinn als etwas Selbstverständliches, und sie sind so sehr daran gewöhnt, dass sie erschrecken würden, wenn es anders wäre. Ja, wenn ich ihnen sage (ich spreche die Eingeborenensprache schon ganz gut), dass wir in Kitara mit anderer Münze zahlen, dann sagen sie, was sie hätten, sei besser, und fragen, ob sie kommen sollten und Dir das Bessere bringen. Sie nennen alles, was sie bringen wollen, mit einem Worte: »Kultur«. Da aber niemand etwas Besseres bringen kann, als er hat, und da mir das, was diese »Menschen« (so nennen sie sich in vollem Ernst!) haben, nicht gefällt, so antworte ich jedesmal, du ließest »bestens danken«. Das ist nämlich der Ausdruck, den sie anwenden, wenn sie sagen wollen, was in unserer Sprache heißt: »Nein, ich will nicht!«

Herr der Berge, du zürnst mir vielleicht, weil ich die hundert schnellfüßigen Boten und ihre hundert Briefbegleiter im Walde

---

2 Ackerbauer

von Bukome, an der Grenze Deines Reiches zurückließ. Das musste ich tun, wenn ich überhaupt weite Länder und Meere durcheilen und in dies Land kommen wollte. Ich musste von dem Plan abstehen, für jeden Brief, den ich Dir schreibe, einen Boten und einen Briefbegleiter mitzunehmen. Denn man hält es hier ganz anders mit Briefen als in Deinem Lande. Bei Dir gilt es als Gesetz, das jeder kennt: es darf nur ein Brief an einem Tage in Deiner Stadt eintreffen. Diesen bringt ein Bote, und ein anderer begleitet ihn, denn einer alleine kann nicht Briefbote sein. Wenn die beiden den Ruhiga überschritten haben, dann eilt ihnen die Kunde des Kommens voraus, und man weiß es bald darauf in Deiner Residenz. Und wenn sie endlich, nach Tagen, über den Hochpass von Kibata hinabkommen, dann folgt ihnen eine vielköpfige Schar hochgewachsener Jünglinge, und die Trommler und Bläser ziehen den Abhang vor Kabares Hof hinab, ihnen entgegen.

Was bedeutet dagegen in diesem Lande ein Brief! Nichts! Und das darf uns nicht wundernehmen; denn in Deutschland gibt es Briefe, so viele wie Gras auf den Viehweiden von Mpororo. Ein einziger Bote trägt hundert Briefe auf einmal, ja jeder einzelne Mann darf Briefe bekommen, und mancher bekommt viele auf einmal. Ich sehe selten, dass jemand durch das Lesen all der Briefe zufriedener werde oder schlechter gestimmt. Und wenn er über den einen Brief traurig wird, so greift er schnell zum nächsten, über den er froh wird, und wenn er alle Briefe fertig gelesen hat, dann weiß er nicht, ob er froh oder traurig sein soll. Nur müder ist er geworden. Und unlustiger, den Acker zu hacken, das Vieh zu hüten. Wenn er überhaupt Acker und Vieh zu verwalten hat.

Du siehst schon, es ist unglücklich, dieses Volk, doch lass mich heute nicht nach den Ursachen fragen. Ich will Dir auch in den nächsten Briefen nur schildern, was ich sehe, und will erst viel später meine Schlüsse ziehen. Noch vieles habe ich Dir zu schreiben.

Riangombe, der über dem Feuerberge wohnt und mit Schnee seine Füße kühlt, schütze Dich und mich,

Deinen Diener

Lukanga Mukara.

Zweiter Brief

Vom Rauch, von der Arbeit und der Unsitte des Bekleidens

Birkhain, den 20. Mai 1912.

Leuchtender Kigeri!

Ich bin an einem Platze, der einsam ist. Hügel mit Büschen umgeben mich. Ein See liegt zwischen hohen Bäumen, im Schilf seiner Ufer schwimmen Enten. Im flachen Wasser stehen Kraniche, und hoch in der Luft fliegen zwei Störche, die jetzt gerade aus Kitara herübergekommen sind, wo sie die Zeit zubrachten, in der es hier bitter kalt ist und Schnee und Eis mannshoch auf dem Lande liegen, wie Du es kennst von dem Gipfel des Karissimbi. Das wilde Getriebe der Städte dringt nicht hierher, und ich könnte mir denken, ich sei in Kitara, am Ufer des Ruhiga, an den weiten Buchten des Urigi, wo der Schrei der Kronenkraniche weithin ertönt, wenn sie mit langsamem Flügelschlage über die reifen Kornfelder dahinfliegen. Es ist derselbe Schrei, den ich hier höre. Der Vogel aber sieht anders aus: ihm fehlt die buschige Krone, fehlt die weiße Brust. Bronzerot schimmert dennoch sein Hinterhaupt. Hierher bin ich gegangen, weil ich wirr wurde im Kopfe über das Neue und Widersprechende, was ich in diesem fremden Lande sah, und weil ich Ruhe haben wollte vor dem Lärm.

Strahlender Fürst! Wenn ich unter den Tausenden engbekleideter Wasungu[1] einherging oder nachts aus Träumen erwachte, dann war mir oft, als hätte ich Pombe getrunken. (Wie einst, als mir Ibrahimu noch nichts von seiner Lehre gesagt hatte, die den Rausch eines Menschen für unwürdig hält.) Über diesem Lande liegt etwas, wie ein großer Trug. Man sagt in Kitara: wo zwischen den Bergen

---

1   Europäer.

Rauch aufsteigt, da sei eines Wanderers Ziel, denn da gibt es Wärme und warme Speise. Ein Handwerker brennt Schnitzwerk aus, die Eisenschmelzer sitzen in freier Luft an den Blasebälgen oder ein Schmied schmiedet Speerspitzen, Hacken und Nadeln. Drum ist dort ein reges Leben, und viele Menschen kommen und freuen sich über die Kraft und Kunst, die dem Volke innewohnt. Wenn ein Schmied von der Arbeit aufsteht, dann rühmt man die breiten Schultern fast mehr als die geschickten Hände.

In Deutschland ist sehr viel Rauch. Aber das ist kein Rauch, der eines Wanderers Augen auf sich zieht, der die Schritte beschleunigt oder das Herz höher schlagen lässt. Es ist kein Rauch in frischer Luft; es ist Rauch im Dunst, ja Rauch im Rauch. In langen, steinernen Röhren wird er zum Himmel geleitet. Aber der Himmel will ihn nicht, und so liegt er wie ein Frühnebel über der Erde. Und wenn er, als eine dicke, atemraubende Masse überallhin fließt, wie soll man irgendwohin eilen, sich seines Ursprungs zu freuen! Im Gegenteil: wer sich die Lungen nicht mit Rauch füllen lassen will, flieht die Plätze, an denen die vielen Eingeborenen zusammenwohnen, flieht auf das Land hinaus, wo die Luft noch rein und frisch ist. Denn unerträglich ist die Luft, die die Wasungu sich gewöhnen einzuatmen. Sie lieben es, zur Arbeit, zum Vergnügen, zum Unterricht, ja zum Gottesdienst in geschlossenen Räumen beisammen zu sein. Stundenlang. Jeder atmet Luft, die schon ein anderer geatmet hat. Dahinein mischt sich Rauch, Dunst und Essensgeruch. Es müssen viele von ihnen krank sein. Ich weiß das nicht; denn ich sehe nur gesunde Leute in den Straßen und glaube, dass sie die Kranken an einen anderen Platz schaffen.

Ich ging einem großen Rauch nach und kam in einen Trupp von Leuten, die denselben Weg gingen. Es waren Männer und Frauen, die alle nicht froh aussahen. Ich fragte einen jungen Sungu, weshalb er so schnell gehe, ob es da, wo er hingehe, etwas Schönes zu sehen gebe? Er lachte spöttisch und unfreundlich und sagte, er gehe zur Arbeit, und wenn er zu spät komme, schelte »der Alte«. Und der Eilige hatte nicht Zeit, mit mir weiter zu sprechen.

Es gibt überhaupt keinen Sungu, der es nicht eilig hat. Jeder hat immer etwas vor, und jetzt weiß ich auch, weshalb der Sungu, der Kitara bereiste, die Männer so oft fragte: »Was arbeitest du?« Und weshalb er sich erregte, wenn er die Antwort bekam: »Tinkora mlimô mingikala.« – »Ich arbeite nicht; ich bin vorhanden.« Das erboste ihn, weil es in Deutschland keinen Mann gibt, der ohne Arbeit zufrieden sein dürfe, es sei denn, er habe viel Geld. Sie arbeiten alle, weil sie Geld haben wollen. Und wenn sie Geld haben, benutzen sie es nicht dazu, sich Glück zu verschaffen, was ja nichts kosten würde, sondern sie lassen sich von anderen, die Geld gewinnen wollen, einreden, sie müssten, um glücklich zu sein, alle möglichen Dinge kaufen, Dinge, die ganz unnütz sind und da gemacht werden, wo der Rauch aufsteigt.

Ich glaube, ein Mann, der mit wenigem auskommt und nichts kauft, ist in Deutschland nicht angesehen. Ein Mann aber, der sich mit tausend Dingen umgibt, die er aufbewahren, beschützen, verschließen und reinigen, ja, die er täglich ansehen muss, der gilt etwas. Und solch ein Mann kann doch zu nichts Rechtem Zeit haben, er kann auch nichts Nützliches tun. Er wird immer auf seinen Sachen sitzen müssen, anstatt in die Welt hinauszugehen und Lieder kennenzulernen. Dazu gehört in Kitara nur ein Stock, ein geflochtener Beutel mit zwei Hölzern zum Feuerreiben und eine Zupfgeige. Wer das an sich nimmt, kann reisen, und wenn er, nach Monden, heimkommt, von den Tänzen und Liedern fremder Völker erzählen, von der Art, wie andere Völker den Elefanten jagen und wie sie die reifen Jungfrauen schmücken.

Das ist der Irrtum, der über dem Lande liegt: auch in Deutschland mag einst Rauch den Ort glücklichen Schaffens angezeigt haben; jetzt ist das vorbei. Zum Fluch wurde die Arbeitskraft, die das Feuer erzeugt, elende Sklaven sind die Eingeborenen, die mit der

Kraft des Feuers arbeiten. Das sah ich, als ich dem Rauch nachging. In furchtbarem Lärm, der größer ist als die Gewitter des Frühlings, stehen Männer und Frauen und bewegen ihre Hände an den Maschinen. Sie stehen da, in schlechter Luft, in geschlossenem Raum und am ganzen Körper bekleidet. Sie machen eine Arbeit, die nie fertig wird, machen jahrelang dieselbe Arbeit. Wie viel besser ist es doch in Kitara! Da hat jede Jahreszeit ihre besondere Arbeit, und niemand braucht das ganze Jahr über am Blasebalg zu stehen oder Rindenstoff zu klopfen. Zur Bestellung des Landes müssen die Hacken fertig sein. Vorher hämmern die Schmiede und vor den Schmieden wird das Eisen ausgeschmolzen. Der Rauch verzieht sich wieder, und die zartesten Pflanzen wachsen um den Hochofen herum. Und auch die Lungen der Menschen werden wieder rein.

Ich sagte, die Eingeborenen trügen sogar bei der Arbeit Kleider. Es ist so, und es wundert mich immer wieder. Alle Eingeborenen gehen nur bekleidet umher, und selbst zum Baden ziehen sie ein dünnes Kleid an. Niemand hat das Recht, nackt zu gehen, ja niemand findet es anstößig und gemein, Kleider zu tragen. Selbst der König des Landes unterwirft sich dem Zwang der Kleidung. An dem Körper trägt er dicke, genähte Stoffe, den Kopf bedeckt er, und die Füße umkleidet er mit genähtem Kalbfell. Wie groß und erhaben bist Du doch, Mukama, gegen ihn! Dein Kleid ist ein Bastfaden, an dem zwei geschnitzte Hörner eines Buschbocks hängen; ein gestreiftes Ziegenfell bedeckt Deine linke Hüfte. Frei atmet Deine Brust, die Sonne bescheint Deine glatte Haut, und Dein nackter Fuß berührt die fruchtbare Erde.

So gehe auch ich hier jetzt unbekleidet im Sande umher, wo mich keine Eingeborenen sehen. Wenn sie mich nackt sähen, würden sie mich verfolgen. Auch ich muss in diesem Lande Kleider tragen, wenn ich das Volk nicht aufreizen will. Es ist eine Qual für Deinen freien Diener, ein Schmerz und eine Gefahr, die er nur auf sich nimmt um der Forschung willen und für die Wissenschaft Kitaras.

Du glaubst gewiss, die Bewohner des Landes außerhalb der großen Städte gingen nackt einher: nein, auch sie bekleiden sich vom Kopf bis zu den Füßen, und vor allem sieht man nie einen Mann, der keinen Hut auf dem Kopfe trüge. Wenn jemand in einer Stadt ohne Hut ginge, würden die Eingeborenen scharenweise hinter ihm herlaufen und ihn verspotten. Der Hut ist das Zeichen der Würde, und wenn er auch nur aus einem schmutzigen, schweißdurchtränkten Bündel Zeug besteht, es gilt als vornehm, ihn zu tragen. So kommt es, dass den meisten Wasungu die Kopfhaare aus Mangel an Licht und Luft wegfaulen und der Kopf kahl wird. Das ist denn auch eine große Sorge aller Männer, und sie geben viel Geld aus bei Leuten, die mit der Pflege des Kopfhaares anderer Eingeborener Geld verdienen wollen. Dort lassen sie sich viele verschiedene Flüssigkeiten empfehlen und verkaufen. Nur das eine tun sie nicht, was nichts kostet und in Deutschland wie in Kitara von dem ärmsten Manne am leichtesten gebraucht werden kann: keinen Hut auf den Kopf zu tun.

Die Wasungu sagen, man gebrauche einen Hut, um den Kopf zu wärmen und zu schützen und um damit zu grüßen. Ihr Gruß besteht nämlich darin, dass sie den Hut einmal vom Kopf herunternehmen und wieder hinauftun. Hinknien und in die Hände klatschen ist als Gruß ganz unbekannt.

Was sie an Kleidern am Körper tragen sollen, schreiben die Handwerker vor, die die Kleider nähen, und besonders die reichen Eingeborenen folgen ihnen darin unbedingt. Wenn Du etwa meinst, ein kräftiger, schöner und geschmeidiger Körper komme in einem solchen Kleide zum Ausdruck, irrst Du. Die Kleider der Männer werden so gemacht, dass jeder Schwache ebenso aussieht wie ein sehniger Mann, und dass kein Mann den Wunsch hat, seinen Körper zu verbessern oder sich davor bewahrt, den Leib zu entstellen: die Kleider verdecken jede Schwäche. Selbst die Frauen sehen bei der Wahl der Männer nicht auf die Schönheit und Kraft des Körpers, sondern auf die Form und den Wert der Kleider und des Hutes. Die Frauen wissen gar nicht, wie ein schöner, gebildeter Körper aussieht. Sie heiraten dann einen Anzug und zugleich den Mann, der darin steckt. Die Unsitte der Kleider bringt es auch mit sich, dass die Männer und Frauen der Wasungu heiraten, ohne voneinander zu wissen, wie sie nackt aussehen. Das würde in Kitara als Schande und niedrigste Gemeinheit angesehen werden, wenn es je vorkäme. Es wäre ein Verbrechen an der Zukunft des Volkes. In Deutschland gilt es als anständig.

Du wirst, großer König, wissen wollen, was ich selbst an meinem Körper trage, um unbelästigt durch die Städte der Eingeborenen zu gehen, und wie ich den Schmutz der Kleider ertrage?

Am Morgen nach dem Bade reibe ich die Haut mit Öl ein und ziehe Unter- und Oberkleider an. Die Unterkleider werden durch Bänder über den Schultern festgehalten. Das ist ein Schmerz, weil der Druck dieser Bänder den Oberkörper zusammenbiegt. Viele Wasungu sind dadurch gekrümmt, und ihr Rücken tritt weit hervor. Um den Hals knöpfe ich einen steifen Ring aus Pflanzenfasern, eine furchtbare Erfindung, die um so unverständlicher ist, als die Wasungu die Kunst, weiche Gewebe herzustellen, meisterhaft verstehn.

Über die Füße streifen die Wasungu enge Gewebe aus Schafwolle, wodurch sie die Zehen gewaltsam zusammenpressen, so dass es ihnen unmöglich gemacht wird, sicher zu gehen. Ich hielt den Schmerz nicht aus, als ich es versuchte, die Gewebe an den Füßen zu tragen, und habe den unteren Teil dieser Kleidungsstücke abgeschnitten, was niemand sehen kann, weil die ganzen Füße in Lederhülsen stecken, die dicht geschlossen sind. Diese Schuhe spielen in der Bekleidung eine große Rolle. Es klingt unglaublich: auch die Form der Schuhe wechselt nach der Laune und dem Willen der

Handwerker, und der Fuß der Eingeborenen muss die seltsamsten Formen annehmen, um in die Schuhe hineingepresst zu werden. Ich selbst habe mir von einem Handwerker Schuhe nähen lassen, die so groß sind, dass ich meine Zehen darin frei bewegen kann.

Die Wasungu ziehen ihre Schuhe nicht aus, wenn sie in die Häuser hineingehen, sie baden ihre Füße nicht, bevor sie eintreten, sie halten aber darauf, dass das Äußere der Schuhe schön blank geputzt ist. Es wird mehr Mühe verwandt auf die Bereitung von Mitteln zum Putzen der Schuhe, als auf Einrichtungen, die Füße selbst schön zu bilden und gesund zu erhalten.

Wenn ich in meinen Schuhen gegangen bin und in mein Haus komme, dann ist mir jedesmal, als müsste ich die Schuhe ausziehen, vor der Türe ein Fußbad finden und eine Bank zum Sitzen, und ein Diener müsste kommen und mir die Füße waschen und ölen. Nichts von dem: an Plätzen, wo besondere Räume zum Warten eingerichtet sind, findet man Bücher zum Lesen und kann viele seltsame Dinge kaufen, die jeder Wanderer entbehren kann und ohne die Kitara noch heute auskommt; doch ist keine Gelegenheit, in der Zeit des Wartens ein Fußbad zu nehmen. Es hat auch kein Eingeborener den Wunsch, das zu tun, und so gehen sie denn vom Morgen bis zum Abend in denselben Kleidern und Schuhen und mit demselben Hut auf dem Kopfe, und weil sie am nächsten Tage dieselben Kleider anziehen wollen, dürfen sie nicht allzusehr schwitzen. Deshalb und um ihre Kleider zu schonen, müssen sie langsam gehen. Laufen ist nur den Kindern erlaubt. Die Erwachsenen laufen nie, weil sie aber immer Eile haben, gehen sie auch nicht: sie fahren. Durch den Mangel an Bewegung verändert sich ihr Körper so sehr, dass sie sich nackt nicht mehr zeigen könnten, selbst wenn es Sitte wäre, ohne Kleider zu gehen, und viele Männer sehen aus wie gemästete Hunde oder wie die Flusspferde von Ukonse.

Du fragst nach den Kriegern des Landes und nach den Frauen? Davon erzähle ich Dir später. Es sind große Entbehrungen, die ich ertrage, um meinen Auftrag zu erfüllen, dies Land zu erforschen. Die Sitten des Volkes bedrohen mich und meine Gesundheit. Was mein Körper von außen erfährt, und auch, was ich gezwungen bin, innen hineinzutun, während ich hier lebe, das schädigt mich.

Zwei Dinge nur begleiteten mich von der Heimat hierher: die Sonne, die meinen Rücken mit ihren Strahlen erwärmt und jener große Vogel, der früher als ich nach Kitara zurückkehren und meinem Könige Grüße bringen wird von

seinen Diener

Lukanga Mukara.

Dritter Brief

Das Handwerk des Schreibens und Lesens – Reiche und
Arme – Die Wasungu sind keine Menschen – Die Frauen

Berlin, am 16. August 1912

Kamerere Rugawa, Vater der Rinder!

Dies ist das dritte Mal, dass ich Dir schreibe, und Du wirst schon
sagen: Lukanga soll doch heimkommen und soll uns erzählen, anstatt Boten zu senden mit dem beschriebenen Papier. Werde nicht
ungeduldig! Komme ich bald, dann sah ich nicht viel, bleibe ich
aber lange, dann kannst Du von mir erwarten, dass ich das Land
der Wasungu genau kenne und so vieles in mich aufgenommen
habe, dass ich jahrelang erzählen und Du jahrelang zuhören kannst.

Was nun gerade das Handwerk des Schreibens angeht, so ist es
rein unbegreiflich, dass mir in diesem Lande kein Sungu begegnet,
der nicht schreiben gelernt hätte. Auch die Kinder der Bauern
wissen mit Farbsaft und Federspalt umzugehen und können die
Zeichen anderer lesen. Und die, welche sie das Handwerk des
Schreibens lehren, glauben, dass die Bauern dadurch längere Ähren
ernten und mehr Vieh besitzen.

Es ist gewiss, dass einige Wasungu vom Schreiben und Lesen
Nutzen haben und sehr weise werden; manche im Volk aber verlieren auch durch dies Können, und sehr viele Zeichenkundige werden
um nichts besser, denn sieh, es gibt in diesem Lande zwar Gesetze,
die jedem gebieten, schreiben und lesen zu lernen, es gibt aber kein
Gesetz, das verbietet, Schlechtes zu schreiben, Schlechtes zu lesen.
Und so wird viel Schlechtes über ein Volk, das schreiben kann,
hingeschrieben. Es kann kein Gesetz geben, das verbietet, Schlechtes
zu schreiben. Denn wer will abmessen, wo die Grenze des Guten
liege? Und gerade das Schlechte, das sich unter dem Schein des

Guten verbirgt, ist den Menschen am gefährlichsten. Die Wasungu haben Geschriebenes, das so gut ist und so rein wie die Luft in den Bergen von Bugoie in der Regenzeit. Aber wenige nur atmen diese reine Luft. Die meisten werden festgehalten im dumpfen Dunst der Sümpfe. Unter denen, die schreiben und Geschriebenes verkaufen, gibt es allzu viele, die nicht schreiben, um den Lesern Notwendiges zu sagen, sondern nur, um recht viel Geld zu bekommen. Deshalb schmeicheln und reizen sie die Leser und erzählen ihnen von einer Welt, in der auch der Dümmste und Faulste mit sich zufrieden sein muss, ohne dass in ihm der Wille geweckt werde, zu Besserem hinaufzusteigen. Wie soll denn jemand Besseres wollen, wenn ihm Schlechtes als das Beste geschildert wird! So ist es mit dem, was geschrieben, erzählt und weiter verbreitet wird unter Zeichenkundigen. Aber auch im täglichen Leben bringt das Geschriebene Gefahr.

Der Hutu in Kitara kann nicht schreiben und darf es nicht lernen. Er sieht sich den Mann an, der spricht, fragt nach seiner Herkunft und Vergangenheit und beurteilt danach den Wert seines Wortes. Missfällt ihm der Sprechende, dann beachtet er ihn nicht. Der Bauer in Deutschland hat es schwer, hinter dem Geschriebenen den Mann zu erkennen, dem er vertrauen soll.

Du fragst gewiss, wie denn der deutsche Bauer Früchte ernte, obwohl er schreiben und lesen kann? Mukama, wie er das kann, ist mir auf meiner Reise im Lande klar geworden. Der deutsche Bauer weiß sich einzurichten: er macht vom Schreiben und Lesen wenig Gebrauch, und oft vergisst er es recht bald. Wenn er dann jemandem etwas mitzuteilen hat, dann schreibt er nicht, sondern geht, gerade so wie der Hutu, fünf Stunden über Land. Er bringt dann die Antwort, die besser ist als eine geschriebene, gleich mit nach Hause. So kommte es, dass trotz den Gesetzen, welche das Schreiben gebieten, das deutsche Land vor jeder Ernte von hohem

Getreide wogt und das Wiesengrün über den Rücken der Riedböcke zusammenschlägt.

Ich erzählte Dir schon, dass die Wasungu sich Menschen nennen, und ich weiß, weshalb sie es tun. Es ist ihnen von Riangombe, dem immer Wachen, eingegeben worden, sich als Menschen zu fühlen. Willst auch Du es begreifen, dann breite Du, Leuchtender, das Fell eines Otters am Hain Deiner göttlichen Ahnen aus, setze Dich dort ruhig hin und sieh den Termiten zu, die in ihrem Erdhause leben. Was bist Du diesen kleinen Geschöpfen? Dein Schatten streift sie, wie uns der Schatten einer geballten Wolke. Sie kümmern sich nicht um Dich. Nichts Größeres kennen sie unter der Sonne als sich. »Wir sind die Menschen«, sagen sie, »sind die denkenden Geschöpfe, für deren Empfindung allein die Welt gemacht ist. Um uns dreht sich die ganze Welt.« Die Wanderameisen und alle anderen Ameisen sind nach ihrem Begriff »Wilde«, und von den Raupen und Käfern, die sie in ihre Baue schleppen, sagen sie, es seien Geschöpfe niederer Art, ohne Gefühle, ohne Verstand, nur mit »Instinkten« begabt. Sie sagen auch von sich, sie allein hätten die richtige Weltanschauung. So gab Riangombe jedem Geschöpf ein, sich für den Mittelpunkt der Welt zu halten und die Erde zu seinen Füßen zu sehen.

Es ist mit den Wasungu nicht anders. Auch sie glauben, die Erde sei um ihretwillen gemacht und halten sich für das Beste, was auf dieser Erde hervorgebracht worden ist.

Schimmerndes Haupt, hat es der Schöpfer nicht weise eingerichtet, dass jeder mit seinem Lose zufrieden sein kann? Zufrieden ist, wenn er das eine tut: wenn er sich selbst erfüllt. Sieh, auch der Arme kann zufrieden sein, und nur der Hunger verbittert die, welche zusehen müssen, wie andere Nahrung vergeuden. Wenn aber jemand allein ist, kann er sogar Hunger ertragen: wo nicht gerade der unerträglichste Hunger ist, da kann selbst der Bedrückte, kann sogar der Arme zufrieden sein. Denn wenn einer reicher ist und sich mit mehr Schauspiel umgibt als der Arme, dann denkt doch der Arme, der Reiche sei nur für ihn da, dass er ihn mit seinem Glanz und mit den vielen bunten Sachen, die er der Reihe nach anziehen muss, erfreue, und er bedauert den Reichen noch, dass er nicht den Genuss des Zuschauens haben kann, weil niemand reicher ist als er. Und der Reiche und Mächtige vergisst, dass er eigentlich nur ein Schauspieler ist, der sich pünktlich bekleiden und bemalen lassen muss und pünktlich, von rechts oder links, auftreten, damit die Armen etwas sehen. Er vergisst das, glaubt sogar, der Arme sei nur um seinetwillen da, den Zuschauer zu bilden, und bedauert den Armen.

Hier will ich Dir als Beispiel ein Erlebnis mitteilen, das ich hatte. Ein großer Feldherr des Landes wollte sich den versammelten Kriegern zeigen, um ihre Waffenlust in Friedenszeit anzuspornen. Er wollte sich auch dem gemeinen Volke zeigen, und das stand dichtgedrängt auf dem Platze und sah zu. Auch ich war unter dem niederen Volke als Zuschauer. Es war ein heißer Tag. Der Feldherr kam. Er saß auf einem schönen Pferde, hatte dichte und schwere Stoffen um den Leib geschnürt und war auf dem ganzen Körper mit bunten Metallblättchen und Ketten behangen. Auf dem Kopfe hatte er, wie alle seine Krieger, ein umgekehrtes Gefäß, daran waren die Schwänze von weißen Hühnern befestigt. Wo er vorbeikam, schrie das Volk, und der Feldherr musste dann mit rechten Arm seinen Kopf anfassen, wobei ihm sehr warm wurde. Viele buntbehangene Adlige folgten dem Feldherrn zu Pferde, und allen war sehr warm.

Da erkannte ich, dass der einfachste unter den Zuschauern auch diesen mühevollen Aufwand nur auf sich bezog und sich freier fühlen kann als selbst der bewunderte Feldherr und sein Gefolge. Neben mir sagte ein Mann zu einem anderen: »Du, Emel, komm, lass die man alleene schwitzen, mir jehn pennen.« Aus diesen Worten, die zugleich die Sprechweise einer bestimmten Gegend wiedergeben, wurde mir das bestätigt, was ich Dir heute schrieb: ein jeder sieht die Welt und seine eigne Stellung von der Mitte seines Kreises aus.

Und das ist auch der Grund, weshalb die Wasungu dazu kommen, sich Menschen zu nennen. Sie tun es ganz selbstbewusst, sie glauben wirklich, Menschen zu sein. Riangombe gab ihnen ein, sich als Menschen zu fühlen.

Gewiss, Mukama, sind die Wasungu keine Menschen; denn sie sind Heiden und wissen nichts von Riangombe und den Blumenopfern. Und dennoch sollten wir sie zu verstehen suchen und nicht glauben, allein erleuchtet zu sein. Riangombe schuf in jedem Geschöpf von sich ein anderes Bild und wollte auch, dass jedes seiner Geschöpfe auf seine eigene Weise groß sei. Gerade darin erkenne ich seine Größe und Erhabenheit. Und wenn ich Dir auch manches schildere, was mir an den Sitten und an dem Denken der Wasungu allzu unsinnig erscheint, so sehe ich doch schon jetzt, dass wir die Wasungu nicht bessern und nicht ändern könnten, selbst wenn wir es versuchten. Denn wenn wir ihnen irgend etwas bringen wollten, unsere Sprache, unsere Tänze oder gar unsere Sitten und unser Denken, so würden wir ihnen etwas Fremdes bringen, was nicht in ihnen entstand. Sie würden es annehmen, aber wenn sie dann auch etwas hätten, was bei uns gut ist, so wäre es doch bei ihnen nicht gut. Ich spotte über sie; wenn aber gar nichts Gutes an ihnen wäre, dann würde es mich doch nicht locken, sie lange und gründlich zu betrachten. Mir fallen da die Worte ein, die Rugaba, der Weise von Sabinjo, oft sagte: »In allen Seienden ist Gott, und alles, was ist, ist groß. Nur was Gott Dir nicht gab zu begreifen, das siehst Du als klein an in der Natur. Er will, dass Du es klein siehst; du darfst es aber nicht ändern wollen: denn es ist ebenso groß wie Du.«

Dem Stamme der Wakintu gab Riangombe die Fähigkeit, in anderen Geschöpfen Vollkommenes zu sehen. Deshalb sind die Wakintu die Menschen; jener Weise von Sabinjo hat aber an Deinem Hofe oft die Geschichte von dem Hunde erzählt, der einen Sinn mehr hat als der Mensch:

Du gehst mit dem Hunde und führst ihn an der Leine. Da drängt er vorwärts und schiebt sich mit Gewalt über eine Spur, die Dein Auge jetzt erst erkennt. Wie Du ein weißes Rind aus einer Herde herausfindest, so riecht der Hund die Fährte des einen Steppenbocks heraus, den er verfolgt. Und während Du im Bambusgehölz nicht drei Schritt weit siehst, sagt es dem Hunde der Wind, wo das Wild in der Nähe steht. Wie der Hund die Gabe hat, wahrzunehmen, was Du nicht erkennen kannst, so gibt es Geschöpfe, welche die Dinge mit anderen Verstandeskräften ansehen und erfassen als wir, und leichter ist es, zu sagen: »Ich rieche nichts, also ist nichts da«, als einzugestehen, dass unsere Gaben nur uns verbieten, alles zu erkennen.

Ich erzählte Dir schon, Mukama, von der Kleidung der Wasungu und will Dir nun auch von den Frauen erzählen. Schwer ist es da für mich, den Dingen auf den Grund zu gehen. Nur das eine weiß ich schon gewiss: die Frauen der Wasungu werden künstlich missgestaltet, und die entstandene Missgestalt wird durch Felle, Stoffe, Geflecht, Leder und Federn wilder Tiere so umkleidet, dass eine neue Gestalt entsteht, die mit der natürlichen, schönen Frauengestalt, wie wir sie bei den Wakintu kennen, nichts mehr gemein hat. Nackte Frauen und Mädchen sieht man nirgends, weder auf den Straßen noch bei der Feldarbeit. Auch baden sie nicht alle, und die, welche baden, sind mit Anzügen bekleidet, und es ist nicht erlaubt, sie aus der Nähe anzusehen. Nur abends, wenn die Wasungu gemeinsam essen und tanzen, sind die Mädchen so gut wie nackt, und nur ein Teil des Körpers ist von Kleidung bedeckt. Sie dürfen es nicht wagen, ganz ohne Kleider zu kommen, weil ihr Leib aus zwei Teilen besteht, die nur lose miteinander verbunden sind und durch ein äußeres, starres Gerüst zusammengehalten werden. Dies Gerüst nun verdecken sie auch abends durch ein wenig Kleidung. Aber natürlich nicht mehr als unbedingt notwendig ist.

Hätten die Frauen das Gerüst nicht, so würden sie zusammenklappen und könnten nicht aufrecht gehen. Das Gerüst ist wahrscheinlich eine uralte Erfindung der Männer. Sie haben es, um trotz Trägheit und schlechten Lebensgewohnheiten an Ausdauer und Gesundheit überlegen sein zu können, den Frauen aufgezwungen. Das Leibgerüst ist so eingerichtet, dass die Frau nicht vollständig atmen kann. Der Leib wird an der Stelle, wo er sich ausdehnen soll, fest zusammengehalten, und ein Teil der Lunge fault innen und stirbt, weil er gehindert wird zu leben. Es fehlt ihr nämlich der tiefe Atem. Infolgedessen kann die Frau nicht laufen und keine Bewegung ausführen. Deshalb verkümmert das Fleisch unter dem Gerüst, und der Körper wird oben und unten furchtbar dick, was die Wasungu schön finden. Schon im jungfräulichen Alter wird der Leib der Mädchen eingeschnürt, weil man fürchtet, sie könnten zu lange gesund bleiben. Der beabsichtigte Erfolg tritt auch ein: die meisten Frauen sind frühzeitig krank und hinfällig, und mit einer gewissen Schadenfreude sprechen die Männer dann von dem »schwachen Geschlecht«.

Die Frauen bewegen sich in ihren Leibgerüsten wie aufrechtgehende Schildkröten. Du kannst es Dir gar nicht vorstellen, wie es aussieht, wenn eine Frau auf der Straße geht und die Beine unter dem steifen Gerüst bewegt. Und wenn sie erst die bewegungslose Masse ihres Leibes auf einen Sitz schiebt, wenn die Glieder hinunterhängen und der Kopf hilflos hin und her bewegt wird, dann empfindet ein gebildeter Neger etwas wie Mitleid mit solch misshandeltem Geschöpf.

Ich denkte oft an die biegsamen Gestalten der Mädchen von Kitara, wie sie sich über die Feldfrüchte neigen, wie sie mit bauchigen Tonkrügen auf dem Kopf einhergehen und wie ihr Leib die unruhige Last des wogenden Wassers im Gehen zur Ruhe bringt. Und auch an den Tanz am letzten Fest der Königslanze muss ich denken. Die Mädchen schritten im Kreise um die Wand der Speere und hielten weiße Blütenzweige hoch zwischen den erhobenen Armen. Der volle Mond färbte sie zu Gestalten aus Silber und Ebenholz. Die Gestalten aber lebten. Wie die saftigen Stengel der Maisstauden im Winde neigten sie sich im Takte, bei Trommelschlag und Flötenton.

Das steht mir vor meiner Seele, wenn ich hier in diesem Lande den freundlichen Ton der Flöte höre. Gar oft ist es, denn wenn die Wasungu auch als Geschöpfe tief unter den Wakintu stehen, so sind sie doch in einem über alle Begriffe groß: in ihrer Kunst, mit Klängen und Tönen die Welt zu schildern. Sie reiben mit Pferdehaar auf gedrehten Schafdärmen, die über hohles Holz gespannt sind; sie blasen auf Hohlflöten, die viel schöner sind als unsere Bambusrohre und Kuduhörner und Muscheln, die aus Metall nachgemacht sind und viele verschiedene Töne geben; sie schlagen auf Eisen, Holz und gestraffte Felle und bringen einen Strom von Tönen hervor, der oft mein Herz erregt, vor Freude und Schmerz. Ich glaube dann am Strande von Ukerewe zu sitzen und sehe die Sonne hinter den Kurwibergen untergehen. Von Ukara her weht der Wind, die Welle brandet, und Ibisse ziehen schreiend vorüber. Ja, denke nur, Mukama, die Klänge der Wasungu sind aus meiner Jugend genommen! Wer brachte sie nur den Wasungu? Wer gab ihnen ein, in Tönen das Land zu schildern, in dem Lukanga zuerst geliebt und gelitten hat? Lukanga spricht die Sprache der Wasungu und bleibt ihrem Denken fremd; aber mit ihren Tönen sprechen die Wasungu eine Sprache, in der er sie tief versteht.

Diesen dritten Brief sende ich Dir, großer Mukama, aus Deutschlands großer Stadt, geschrieben mit meiner Hand.

Dein niedriger

Lukanga Mukara.

Vierter Brief

Weshalb die Wasungu hin und her laufen und fahren

Berlin, den 6. September 1912

Mukama!

Du fragst, wozu die Wasungu Wagen gebrauchen und weshalb sie ohne Unterschied hin und her fahren? So denke an den Weg von Niansa nach Rubengera. Jetzt geht dort ein Träger vier Tage, ein Bote zwei. Der Sungu würde einen Eisenbalkenweg bauen, damit dieser Bote in einem Tage hinkommt. Um den Weg zu bauen, müssen viele Tausende von Menschen dorthin gehen und arbeiten und zurückgehen. Andere müssen diesen Nahrung und Brennholz bringen. Die Arbeiter bekommen Lohn. Den wollen sie ausgeben. Deshalb muss ein Inder mit vielen Lasten Stoffen, Mützen, Perlen und Schnaps kommen. Dann ein Sungu, der dabei steht, schreit und aufschreibt. Dann Waren für den Sungu. Dann Träger, die Holz und Steine für ein Haus für die Waren des Sungu bringen. Dann ein Sungu, der diese Waren zählt und aufschreibt und eine Abgabe dafür einnimmt. Auch für den muss ein Haus gebaut werden und ein zweites für den, der aufpasst, dass der Geldeinnehmer das Geld nicht für sich behält. So sind wir schon mitten in einem »gesunden« Wirtschaftsleben oder in einer »gesunden wirtschaftlichen Entwicklung«. Es kommt dann schon ein Sungu, der von dem Betrieb Bilder macht und ein Buch darüber schreibt. Es wird ein Haus gebaut, in dem die Wagen der Eisenbahn repariert werden. In dem Hause arbeiten Menschen, die mit den Wagen geholt werden. Dazu braucht man Kohle und Holz, die holt man mit den Wagen und heizt die Maschine des Wagens mit Kohlen. Man baut also die Wagen, um Kohlen zu holen und holt Kohlen, um die Wagen zu bauen. Betrieb, Verkehr, Rauch, Lärm und

Fortschritt, also das, was die Wasungu Kultur nennen, ist dann im Gange. Auch siedeln sich Kaufleute, Schnapsverkäufer und käufliche Mädchen an, um den Arbeitern das Geld wieder abzunehmen. Weil dann durch die Begehrlichkeit, die in den Arbeitern geweckt wurde, und durch den Schnaps Unordnung entsteht, müssen bewaffnete Aufseher mit den Wagen gebracht werden und andere Männer, die aufschreiben, welcher Art die Unordnung ist und wie das heißt, was die Arbeiter Unordentliches getan haben. Für diese Schreiber aber muss wieder ein Haus gebaut werden, und damit die Arbeiter, die Unordentliches getan haben, nicht nach Hause gehen, bevor alles fertig aufgeschrieben ist, müssen Käfige gebaut werden, in die man die Arbeiter einsperrt, füttert und bewacht. Es muss aber wieder mit den Wagen Kohle und Eisen geholt werden, um die Gitterstäbe der Käfige zu machen. Dann muss Wasser in die Häuser bei Schreiber und Aufseher geleitet werden und künstliches Licht, damit auch nachts geschrieben werden kann, wenn die Natur es verbietet. Dann muss ein Haus gebaut werden für den Mann, der aufschreibt, welche von den Schreibern »Herr Ober« heißen und ein anderes, in dem ausgedacht wird, wieviel jedes Haus bezahlen soll, um die Aufseher und die Schreiber zu bezahlen. Dieses alles nennen sie die »Regierung«. So entsteht eine große Stadt, eine Kulturzentrale, wie die Wasungu sagen, und alles nur, weil ein Bote den Weg von Niansa nach Rubengera schneller zurücklegen sollte. Diese Stadt vergrößert sich und dann müssen mehr Wagen fahren und immer mehr. Dann braucht man Häuser, in denen die Wagen untergestellt werden und wieder Menschen, die diese Häuser bauen, bewachen, zählen und darüber schreiben. Weil aber die Menschen in solcher Stadt und bei solcher Beschäftigung verrückt werden, muss man große Häuser außerhalb der Städte bauen, in die man die Verrückten einsperrt. Dadurch entsteht wieder Arbeit und neues wirtschaftliches Leben. Die aber, die noch nicht ganz verrückt sind, müssen, um nicht völlig verrückt zu werden, sehr oft aus der Stadt hinausfahren, um in der Steppe und im Urwald zu schreien, Blumen abzureißen, Tiere aufzuspießen oder zu verscheuchen. Deshalb fahren wieder sehr viele Wagen mit Menschen hin und her. Außerdem aber müssen in der Steppe und im Urwald Häuser gebaut werden, in denen diese Halbverrückten Schnaps und Rauchrollen kaufen können, und es müssen Kästen aufgestellt werden mit Maschinen, die Radau machen, was die Wasungu lieben. Sie machen dazu viel Rauch, gießen Flüssigkeit in ihren Hals und brüllen sich gegenseitig an. Dann lassen sie Bilder von sich machen mit Trinkgefäßen in der Hand. Damit man aber in der Steppe weiß, wo die Schnapshäuser liegen, müssen an den Wegeecken Schilder aufgestellt werden, auf denen der Name der nächsten Schnapsstelle angeschrieben steht und wie weit es ist. Diese Schilder wieder müssen bewacht werden, damit sie keiner mitnimmt. Dazu werden bewaffnete Wächter angestellt. Für die werden wiederum Häuser gebaut. Weil die Schilder Geld kosten, wird der Weg durch einen Baum versperrt, der nur geöffnet wird, wenn der Wanderer Geld bezahlt. Es muss dann bei dem Baum ein Haus gebaut werden, worin der wohnt, der das Geld einsammelt, und in der Stadt ein zweites, worin der wohnt, der aufpasst, dass der, der das Geld einsammelt, es nicht für sich behält. Außerdem müssen Wächter aufpassen, dass niemand, anstatt zu bezahlen, um den Baum herumgeht, und wenn viele Halbverrückte kommen, dass sie auf der Seite des Weges gehen, wo die rechte Hand ist. Damit aber die Halbverrückten lesen können, was auf den Schildern steht und wie weit es zu der nächsten Schnapsbude ist, müssen Häuser gebaut werden, in denen ein Mann die Kinder haut, bis sie lesen und zählen können. Das dauert acht Jahre. Auch für den Mann muss ein Haus gebaut werden und ein anderes für den, der aufpasst, wann dieser Mann soviel gehauen hat, dass er »Herr Ober« heißen darf. Dann eins für den, der auf diejenigen aufpasst, die sich »Herr Ober« nennen, ohne Erlaubnis zu haben oder Metallplättchen über der Brustwarze tragen, bevor sie das dazugehörige Alter erreicht haben. Damit man aber weiß, wann jemand so alt ist, dass er Metallplättchen tragen darf, müssen die Lebensjahre gezählt werden und Bücher geschrieben, in denen man sehen kann, an welchem Tage jeder einzelne aus dem Leibe seiner Mutter gekommen ist. Deshalb müssen Häuser gebaut werden und müssen Wagen hin- und herfahren, bei Tage und bei Nacht.

Dies also ist, weshalb die Wasungu Wagen gebrauchen, Wege mit Eisenbalken bauen und fortwährend hin- und herfahren. Eins aber habe ich noch vergessen zu erwähnen, und es wird dich vollends in Abscheu oder Erstaunen setzen: das Briefschreiben der Wasungu. Dieser Tollheit kann ich in Worten schwer beikommen. Es gibt in Usungu kein Haus, wo nicht täglich ein Bote hinkommt, der Briefe bringt. Was schreiben aber die Wasungu? Was jeder von selbst weiß: »Ich bin hier und trinke.« – »Ich komme morgen«, »der Wagen fährt«, »das Essen schmeckt«. Oder sie schicken Bilder, wie sie ein Trinkgefäß vor sich halten und ein dummes Gesicht machen. Oder sie schreiben wegen Geld. Ich will so sagen: Alles, was sie tun und alles, was bewegt wird, schreiben sie noch mal. Deshalb fahren Boten mit Wagen hin und her, und Häuser müssen gebaut werden, in denen die Briefe nachgesehen werden und andere, in denen die wohnen, die aufpassen, wann die, welche Briefe nachsehen, »Herr Ober« heißen dürfen. Endlich müssen die Briefe gezählt werden und wieviel Personen hin und her fahren und wieviel Jahre die Briefboten länger leben als die, die den ganzen Tag Kleider nähen. Durch alle diese Dinge glauben die Wasungu klüger und besser zu werden, und wenn ein neues Haus gebaut wird, kommen sie zusammen, halten Reden und brüllen: »Ra! Ra! Ra!«, was der Ausdruck höchster Freude ist. Danach gießen sie Flüssigkeit in ihren Hals.

Die Wasungu haben auch folgende Narrheit. Fragst du in Kitara: Wer ist da? So ist die Antwort: Muntu, ein Mensch! Die Wasungu aber teilen die Menschen ein nach dem, was sie tun. Sie wollen, dass jeder Mensch nur eine bestimmte Narrheit tue, damit Unterschiede entstehen und sie mehr zählen können. Der Zahlenkarl führte mich in ein Haus, in dem viele Männer Messer schliffen. Sie sahen sehr blass aus. Ich fragte, wo diese Menschen ihren Acker hätten, worauf mir geantwortet wurde, sie täten nie etwas anderes, als Messer schleifen; nur dadurch könne man mit Bestimmtheit sagen, dass Menschen, die jeden Tag Messer schliffen, schon mit dreißig Jahren sterben. Und sein Auge leuchtete vor Freude, als er mir mitteilte, dass ein ebenso kurzes Lebensalter die Menschen hätten, die jeden Tag nichts anderes täten, als den Schluckern in den Steinhöhlen Leichenteile, Pombe und Rauchrollen zu bringen. Als ich vor Schrecken über diese Verrücktheit den Kopf schüttelte, sagte Karl, ich könne nicht zweifeln, das sei wissenschaftlich einwandfrei festgestellt und man hoffe, mit der Zeit noch genauere Zahlen zu bekommen. Als ich fragte, wozu denn diese Zahlen nötig seien, erzählte er mir eine Narrheit, die kein Mensch glauben wird. Aber höre: Sie bezahlen jedes Jahr eine Summe Geld; das wird von Menschen, die dazu in einem Hause wohnen, gesammelt und aufgeschrieben und nach dem Tode den Verwandten bezahlt. Sie glauben, dadurch glücklicher zu sein. Da bezahlt nun ein Messerschleifer eine andere Summe als ein Landbauer, weil die Zahlenkerle wissen, dass die verschieden lange leben. Damit diese Rechnung stimmt, muss jeder bei seiner Arbeit bleiben und darf nie etwas anderes tun. Wegen dieser Narrheit müssen also wieder Häuser gebaut und Briefe geschrieben werden und Wagen fahren hin und her. Hast Du es verstanden?

So wirst Du jetzt wissen, was eigentlich diese Wasungu tun und weshalb sie immerfort etwas tun. Ich sage es Dir: sie sind fortgesetzt in Bewegung, um sich gegenseitig in der Ruhe zu stören, um dafür zu sorgen, dass alle Menschen fortwährend durcheinander laufen müssen und nicht zum Nachdenken kommen. Nun beschäftigen sie sich aber damit, in die Unruhe eine Ordnung zu bringen, auf die sie stolz sind. Sie vergessen dann, dass sie selbst erst die Unruhe gemacht haben, die gar nicht nötig war, und sprechen dann von der Ordnung.

Nein, Lieber, Du kannst es nicht verstehen. Du wirst an Kitara denken. Wozu Ordnung? Die Berge sind da, und in den Tälern fließen die Bäche. Ist das Wasser angeschwollen, so wartet man, bis es sich verläuft. »Amri ya Mungu.« Es ist Gottes Befehl, murmelt der Wanderer und fügt sich in Demut. Die Ordnung aber ist gegen das Gebot Gottes, und seine Strafe bleibt nicht aus. Ich werde später von der Strafe sprechen. Diese Strafe ist gerecht; denn es sind unnütze Dinge und eine selbstgewollte Unordnung, in die von unnützen Menschen Ordnung gebracht wird.

Da wohnte ich bei einem Manne, der Lenker ist auf einem Wagen, der auf Eisenbalken fährt. Ich begleitete ihn und ließ mir sagen, was die einzelnen Wasungu tun, die in dem Wagen fahren. Ein Mann fuhr mit, der baut Eisenteile für die Wagen. Daneben stand ein Mann mit einem Schwert und einer Metallspitze auf dem Kopf. Er hat aufzupassen, dass die Wagen auf der Straße keinen Sungu überfahren, und aufzuschreiben, wenn einer getötet wird. Dann stieg ebenso ein Spitzkopf auf den Wagen, dessen Arbeit bestand darin, aufzupassen, dass der andere ihn ansah, die Beine zusammen-klappte und die Arme an den Leib, was ein Gruß ist. Dann saß da eine Frau mit einem roten Kreuz auf dem Arm. Sie verbindet die Menschen, die überfahren werden. Dann ein Mann, der die Hunde fängt, die keine Münze am Halse tragen. Daneben saß ein Mann, der in einem Hause Rauchrollen machen lässt. Dann einer, der Pillen gegen die Krankheiten verkauft, die durch Rauchstinken entstehen. Dann ein Zahlenkerl, der aufschreibt, welche Menschen Geld bezahlt haben für den Fall, dass sie überfahren werden. Wozu das ist, schreibe ich später. Dann einer, der die Kohlen verkauft, mit denen die Wagen getrieben werden, und einer, der die Bücher macht, in denen geschrieben steht, wann die Wagen fahren. Jeder einzelne trägt einen Zeitzeiger auf seinem Bauche und sieht nach, sobald der Wagen hält und sobald er weiterfährt. Dann saß da ein Mann mit Glasstücken vor den Augen. Seine Arbeit war, darüber zu reden, wie es früher war und wie es jetzt ist. Er sagte mir, dieser geordnete Verkehr sei ein Zeichen der hohen Kultur der Wasungu. Es habe einmal eine Zeit gegeben, wo noch keine Eisenbalken auf dem Wege lagen, den wir entlangfuhren. Damals hätte jeder gesagt, es sei nicht nötig, dass hier Wagen fahren, und es würde keiner mitfahren, und jetzt sähe man, welch gewaltigen Aufschwung der Verkehr durch den Bau der Wagen genommen habe.

Ich aber fand, dass alle diese Narren nur unterwegs waren, nicht um zu leben und Gutes zu arbeiten, sondern nur, damit die Wagen fahren können oder damit das wieder gutgemacht werde, was durch das Hinundherfahren an Schaden entsteht. Wenn alle diese Narren auf ihrem Acker blieben und bei ihren Kindern, dann brauchten keine Wagen auf Eisenbalken zu fahren, und wenn keine Wagen fahren, könnten alle einen Acker haben und glücklich sein.

Deshalb hüte, Kigeri, Dein schönes Land vor der Ordnung der Wasungu, vor den Wagen und Eisenbalken und verbiete, dass Zeitzeiger in das Land gebracht werden, durch deren Anblick die Menschen auf Narrheiten gebracht werden. Menschen brauchen keine Zeitzeiger. Bei Tagesgrauen kräht der Hahn. Bei Tage ist es hell, bei Nacht dunkel. Morgens geht die Sonne auf, mittags steht sie ganz hoch und abends geht sie unter. Das Leben aber endet mit dem Tode. Nur dieses braucht der Mensch zu wissen. Wo aber Wagen fahren, da müssen Zeitzeiger sein und wiederum Menschen, die diese Zeiger machen und in Ordnung halten, und daraus entsteht all die andere närrische, ganz unnütze Arbeit, bei der alle Menschen krank und freudlos werden. Ich finde, dass diese Zeitnarren alle nur durcheinanderlaufen, damit die Wagen fahren, und dass sie fahren, um durcheinander zu laufen und sich gegenseitig zu behindern. Ich habe von Dingen geschrieben, die den Weisen von Kitara fremd bleiben sollen, wenn sie Menschen bleiben wollen.

Dich grüßt Dein getreuer

Lukanga.

Fünfter Brief

Was und wie die Wasungu essen

Birkhain, den 2. Oktover 1912.

Mukama!

Dein königliches Herz erzürnt sich, weil ich Dir noch nicht schrieb, was die Wasungu essen?

Großer und mächtiger Herr! Gebiete Deinem Volke zwei Tage Schweigen, damit das Furchtbare, was ich Dir jetzt erzählen werde, in Deinem Verstande Platz finde: Die Wasungu sind Seelenesser, sind Kannibalen.

Sie vermischen die Nahrung, die die Erde spendet, mit Teilen verschiedener Tiere. Besonders Schweine, Rinder und Pferde werden getötet und in viele Teile zerschnitten und zerhackt[1].

Hunde werden in einer Stadt mit Namen Halle geschlachtet und gegessen. Katzenfleisch wird nur heimlich unter die Nahrung gemischt. Niemand würde es kaufen, wenn jemand es anböte, deshalb

---

1   Lukanga gehört, wie dieser Brief zeigt, einem Negerstamme an, der von Früchten lebt. Es muss einem so lebenden Manne allerdings sonderbar vorkommen, dass gerade jetzt in Deutschland von Hungersnot die Rede ist, weil Fleisch teuer wurde. Unseren Lesern der merkwürdigen Anschauungen Lukangas gibt es vielleicht zu denken, dass wirklich ganze Völker gar kein Fleisch genießen, was uns ja wohl gar nicht recht in den Kopf will. – Die Beobachtung Lukangas von der Hundeschlachterei in Halle wird übrigens durch eine mir vorliegende Zeitungsnotiz bestätigt, worin es heißt, dass in Halle aus Anlass der Fleischnot eine Hundeschlachterei eröffnet wurde und starken Zuspruch erhielt.

wird es kleingeschnitten und mit anderen Fleischstücken in Tonnen gesammelt, dann wird es in Därme von Rindern hineingetan und verkauft. An einigen Orten vermischen sie es auch mit Mehl und Fett und essen es aus Muschelschalen. Nur Menschen dürfen nicht geschlachtet und gegessen werden.

Einiges von diesem weiß ich, nicht, weil ich es selbst sah, sondern weil es mir ein Mann von dem weitverbreiteten Stamme der Korongo[2] erzählte. Manches aber sah ich selbst, und deshalb glaube ich, was mir der Korongo erzählte.

Ich sah einen Mann, der aufgeschnittene Kälberleichen, die noch blutig waren, von einem Wagen auf die Schulter nahm und in einem Hause so aufhängte, dass jeder, der vorbeiging, die Leichen sehen musste. Und Männer und Frauen gingen vorbei und waren fröhlich, obwohl sie das sahen. Der Mann hängte auch innere Teile von Tieren auf und schrieb Zahlen daran, weil er Geld dafür haben wollte, wenn Menschen es kaufen. Die Leichen werden in Teile gerissen und die Teile einzeln verkauft, als seien es Früchte. Auch das Blut der Tiere wird gegessen.

Ich sagte: die Wasungu essen. Das ist nicht richtig: sie schlucken. Und alles, was sie in ihren Mund hineintun, ist dazu vorbereitet, dass es hinuntergeschluckt und nicht gegessen werde. Es sind unter den Wasungu wohl einige, die sich darauf verstehen, Nahrung zu essen; die meisten aber sind Schlucker.

Ihre Sprache kennt zwei Worte für »Nahrung eintun«: »Essen« und »Fressen«. Die Schlucker sagen von sich selbst, dass sie essen und dass die Tiere fressen. Als ich aber einem Sungu zeigte, wie ein Rind auf der Weide Kräuter suchte und ihm sagte, auch er sollte doch lieber »fressen« wie das Tier, da wurde er böse.

---

2   Korongo heißt »Riesenreiher«. Lukanga meint damit offenbar den »Wandervogel«.

Die Wasungu machen die Schweine, die sie essen wollen, künstlich krank, damit sie ganz dick werden. Sie zwingen diese Tiere, hastig zu schlucken und dann zu ruhen. So mästen sie die Tiere. Und wie die Schweine mästen sie auch sich selbst. Sie erreichen das durch viele Mittel. Ein Sungu wartet nicht mit Essen, bis sich Hunger meldet, sondern er geht hin und versucht, ob er irgend etwas ausfindig macht, was er gerne schlucken möchte.

Damit er sicher ist, dass er sich mästet, setzt er sich zu ganz bestimmter Zeit, auch ohne Hunger, zum Schlucken hin. Und nicht im dunklen Raum und nicht allein, sondern mit anderen Wasungu zusammen. Die Augen hat er beim Schlucken weit geöffnet. Während er eine Speise hinunterschluckt, sieht er auf einen Zettel, auf dem die nächste Speise geschrieben steht. Dadurch erreicht er schnelleres Hinunterschlucken. Weil er ja nicht aus Hunger isst und die Speise nicht schmeckt, isst er mit den Augen, und er isst dann immer die nächste Speise, und nicht die, die er gerade im Munde hat. Auf dem Zettel steht keine Nahrung geschrieben, sondern Gemengtes und Erhitztes. Damit es nicht gekaut werde, gießt der Schlucker Getränke dazu in den Mund. Alle Wasungu gewöhnen sich, auch Getränke zu schlucken, anstatt sie zu saugen.

Ein allgemein gebrauchtes Mittel, die Körpermast zu fördern, ist dies: die Wasungu verabreden sich, zu mehreren gemeinsam um einen Tisch herumzusitzen und dieselben Speisen zu schlucken. Obwohl sie keinen Hunger haben, gelingt es ihnen, dann sehr viel zu schlucken. Es kommen Diener, die versuchen, die Gier der Schlucker zu reizen. Sie tun das, indem sie die Speisen, deren Namen der Schlucker vorher auf dem Zettel gelesen hat, der Reihe nach jedem einzelnen Schlucker kurze Zeit von hinten vor das Gesicht halten, bis er etwas davon genommen hat. Weil nun alle Schlucker von derselben Schüssel nehmen, erwecken sie gegenseitig die Vorstellung, als gelte es, den anderen etwas wegzunehmen und sich recht viel zu sichern.

Wenn sie dann anfangen, davon etwas in den Mund zu tun, schreien sie sich gegenseitig an und zwingen sich dadurch zu schnellerem Hinunterschlucken. Außerdem ist es Aufgabe der Diener, die Schlucker von hinten fortwährend zu bedrohen, als sollten die Teller, auf denen die Speise liegt, plötzlich weggenommen werden, und auch dadurch wird der Zweck schnelleren Schluckens erreicht. Damit die Schlucker aber recht laut schreien müssen, lässt man zwölf Männer auf Hörnern blasen und Lärm schlagen.

Wenn ich dagegen an die Verse des Rubega denke, dann ist es mir, als ob ich aus dem Rauche hinaus und in den Zugwind trete. Lass mich, Mukama, die Worte des großen Priesters hier niederschreiben, damit ich selbst mich ihrer wieder scharf erinnere. Rubega sagt:

»Besieh Dir, Mensch, eine Nuss. Weshalb ist ihr Kern umkleidet? Damit der eine Mensch sie entkleide und der andere sie esse?! Nein! Damit der, der sie essen soll, den Kern herausschäle und nicht das Maul auf einmal bis oben hin anfülle. Du sollst, wenn du issest, noch den Boden wissen, von dem die Frucht genommen wurde. Und warst du selber nie dort, so soll doch Deine Sehnsucht dort weilen, während Du issest. Darum gehe in den Raum, der für Speisung gemacht ist und bleibe allein dort, bis Deine Sehnsucht sich gesättigt hat. Du sollst aber liegen, während Du issest. So hast Du an der Öffnung des Raumes den Himmel über Dir, an dem geschrieben steht, wann Du essen darfst.

Bei Tage nämlich sollst Du essen, beim unendlichen Blau. Aber des Nachts stehen Sterne da, und Deine Gedanken haften an ihnen. Da sollst Du fasten.« Mukama, wenn ich die Wasungu neben die Wakintu stelle, dann weiß ich, welches Volk die besseren Ratgeber hatte.

Es sind unter den Wasungu viele, die besonders starke Mast betreiben, und unter jeder Arbeitsgemeinschaft findet sich ein bestimmter Teil solcher Mästlinge. Aber, obwohl sie alles tun, um möglichst schnell unfähig zu werden, Waffen zu führen und gegen den Feind zu gehen, verlieren sie doch keins der Bürgerrechte, und wenn ich einem solchen zur Mast aufgestellten Krieger sage, dass in Kitara nur der die vollen Ehrenrechte des Staatsbürgers hat, der im Schnelllauf Gewisses leiste, dann schluckt er nur noch mehr.

Sie leben alle in beständiger Angst, dass sie nicht genug Gemischtes und Erhitztes in den Leib bekommen. Nur um wirkliche Nahrung sind sie ganz unbesorgt, ja sie verachten die Nahrung, weil sie fürchten, dadurch nur tatkräftig und lebensfroh und nicht dick zu werden.

Sie wenden viele Mühe an, die Dinge, die sie in ihre Töpfe werfen, zu zerstören und ihnen den Sonnengeschmack zu nehmen, wobei starkes und lang andauerndes Feuer ihr wichtigstes Hilfsmittel ist.

Danach tun sie an alle Speisen Salz, und dann sagen sie: »Es schmeckt.« Salz ist bei den Wasungu dasselbe wie »Geschmack«. Und was nach Salz schmeckt, davon schlucken sie so viel hinunter, bis sie nicht mehr hineintun können.

Schlechte Sachen, die niemand essen würde, so zurechtzumachen, dass sie geschluckt werden können, und gute so weit zu zerstören, dass sie den schlechten gleich sind: das gilt bei ihnen als eine große Kunst, und besonders die Frauen beschäftigen sich fast den ganzen Tag über mit dieser Kunst, die »Kochen« oder »Braten« heißt, je nachdem, ob Wasser oder Fett dabei erhitzt wird.

Ich erzählte Dir im letzten Brief von dem Leibgerüst der Frauen und sagte, dass die Männer es erfanden, um die Frauen schwach zu machen. Ich glaube, dass auch das Kochen von den Männern erfunden wurde, um den Frauen Zeit zum Denken zu nehmen und sie in Dummheit zu halten. Und jetzt glauben alle, dass es zum Leben nötig sei. Vielleicht aber rächt eine höhere Gewalt den Frevel der Männer; denn er zwingt sie ja, das Gekochte zu schlucken, damit die Frauen nicht aufhören, zu kochen. Und so werden sie auch zur Trägheit verdammt, weil sie gemästet werden.

Strahlender Fürst! Deinem Diener ist es hier nicht leicht gemacht, sich menschenwürdig zu nähren. Aber fürchte nichts: Lukanga nährt sich auch unter den Hundefressern mit Sonnenkraft.

Und wenn er bei Tage zwischen Steinen auf der Kuppe eines Berges liegt und seine Augen im weiten Blau des Himmels ruhen lässt, dann weckt der Duft einer Frucht ihm tiefe Lebenslust.

Allein auf einem Berge im Lande der Wasungu: Welch ein Gefühl ist es doch, als erster Neger auf dem Gipfel eines Berges zu stehen!

Und gar als Dein Ausgesandter

Lukanga Mukara.

Sechster Brief

Über die Narrheit, die die Wasungu »Volkswirtschaft« nennen

Berlin, den 1. November 1912

Mukama! Freund der Stiere!

Die Berge und Täler Kitaras sind durch schmale Steige verbunden, auf denen Rinder, Schafe und Menschen gehen. Wo der Boden von Quellen erweicht ist, treten die Rinder in ihre alten Spuren und lassen Erdschollen wie Schwellen zwischen ihren Tritten. Über die Papyrussümpfe der Talsohlen legen Deine Wahutu Rohrbündel, und am Strom wartet ein ausgehöhlter Baumstamm, der als Fähre dient. An den Strohhütten unterm Felsen stehen Bananen: das Korn lagert in geflochtenen Körben, die auf Pfählen stehen, und in einer hohlen Kürbisschale reicht ein Mädchen dem Wanderer den Honigtrunk. Die Häuptlinge der Vulkane Karissimbi, Sabinjo, Niragongo grüßen herüber. Die Wolken, die über ihnen lagern, ergießen ihre Tropfen auf die Täler, und das Wasser fließt in lieblichen Bächen zur Ebene des Kagara. Und jetzt wende Deinen Blick von dieser erhabenen Ruhe und Schönheit in das Land der Wasungu. Es ist, als wenn Du auf einen Schwarm von Termiten sähest, die der Steppenbrand in Todesangst versetzte. Die einen tragen hier, die anderen dorthin Steinchen, Eier, Blätter. Du kannst nicht von Wanderern sprechen, auch nicht von Fußwegen und von der Ruhe der Täler. Die Wasungu rasen durch ihr Land hin und her. Sie ebnen die Wege, legen glatte Eisenbalken darauf und lassen Wagen darauf entlang toben, in die sie sich setzen. Du glaubst, sie hätten sehr Wichtiges am andern Ort zu tun. Ich habe das noch nie erfahren. Sie haben wie wir Eltern, Geschwister und Kinder, die krank werden oder sterben, sie haben Sorgen und Ängste. Deshalb, sagen sie, rasen sie durch das Land; also in all den Fällen, in denen wir in Kitara gehen oder zu Hause bleiben. Aber noch merkwürdiger ist, was sie mit den Sachen anstellen, die sie überall zusammenkratzen. Auch die packen sie auf Wagen und lassen sie völlig sinnlos so schnell durch das Land fahren, dass man nicht nebenher laufen kann. Sinnlos sage ich; denn ich sah es oft, dass Wagen aneinander vorbeifahren, die mit derselben Ware beladen sind. Überall an diesen Eisenbalkenstraßen stehen Männer, die aufpassen, pfeifen, blasen und winken, klingeln und nach den Zeitzeigern sehen, die aufgestellt sind oder die sie an einer Kette am Leibe tragen. Diese Narrheit nennen sie Verkehr und halten den Unfug für so wichtig, dass sie nachts nicht schlafen, sondern Fackeln anstecken und bunte Lichter schwenken. Die Menschen, die in den Wagen fahren, haben Bücher, in denen geschrieben steht, wie schnell die Wagen hin und her rasen. Sie sehen immerzu in diese Bücher und auf die Zeitzeiger in ihren Kleidertaschen. Die ältesten Leute noch freuen sich kindisch über diese Verrücktheiten.

Ich folgte, um die Freude an dem Unfug kennenzulernen, einem Narren, der es sich zur Aufgabe gemacht hatte, aufzuschreiben, wie viele Menschen, Tiere, Steine, Kürbisse, Bäume auf dem Wagen hin und her gesandt werden. Er trug ein Buch bei sich, in dem er mir zeigte, dass es in jedem Jahr mehr würden. Ich fragte, wann es denn genug sei? Er wusste das nicht. Ich habe, großer König, die Torheit dieser Wasungu jetzt deutlicher erkannt und werde Dir von meiner Weisheit abgeben, so gering sie bleiben mag. Das eine sage ich Dir: Hüte Dein Volk vor diesen Mördern und Räubern. Meine Tränen rinnen, wenn ich das schreibe: denn leider kannst Du weder Dein stolzes Volk noch Dein stilles Land vor Wesen schützen, die irre sind und nicht sehen, dass sie mit Feuerbränden die Strohdächer der Hütten segnen wollen. Sie sehen nicht, dass sie sich im Kreise drehen, dass sie nichts tun, als durcheinanderwerfen, was auf oder in der Erde ist, und dass sie die Schönheit und den Reichtum der Erde zerstören. Dabei haben sie einen

Wetteifer gegeneinander. Nicht nur einzelne Menschen, auch Menschen ganzer Gegenden und Völker wetteifern, wer von ihnen mehr Unsinniges tut, mehr Schätze zerstört, mehr hin und her rast. Sie nennen das Leben. Ich nenne es Tod. Sie nennen es gesund: ich sehe, dass es Krankheit ist. Der Narr, mit dem ich reiste, hieß Karl. Er war stolz, mir seine Narrheit zeigen zu können. So höre, wie er es trieb: Sein Vater hatte ihm einen Kasten mit Papier hinterlassen.

Durch den Besitz dieser Papiere kam er, indem er an der richtigen Stelle und zur richtigen Zeit von ganz bestimmten Narren etwas schreiben ließ, zur Herrschaft über ein Tal, wo Bauern wohnten. Hier nun war ein Ort, wohin Karl immerzu fahren musste, oder wenn er nicht dorthin fuhr, so fuhr er, weil das geschrieben worden war, woanders herum, sah in das Zahlenbuch, wann die Wagen losrasen und sah auf die Zeitzeiger. In den Besitz der Papiere, die solche Macht hatten, war aber Karls Vater dadurch gekommen, weil er es verstanden hatte, tausend Menschen das Ackerland und also das Korn wegzunehmen, so dass sie arm waren und eine Narrheit für ihn tun mussten, um nicht zu verhungern. So waren die Papiere entstanden, die tatsächlich die Macht hatten, andere Narren glauben zu machen, Karl sei zur Herrschaft über ein Tal gekommen. In dem Tal aber hatte Karl viele Menschen zusammengebracht, die etwas taten, was er Arbeit nannte. Sie rannten hin und her. Einige verbesserten den Lauf eines Flusses, den Gott falsch angelegt hatte. Er ging, wie der Nyawarongo, in Windungen durch die Ebene. Jetzt wurde er gerade gemacht. Andere fuhren einen Berg ab, der unnütz war, wie Karl sagte, und warfen ihn in einen Sumpf, in dem bisher nur Reiher wohnten. Ein großer Bach war schnell zu Tal geflossen. Karl befahl, das dürfe nicht sein, ließ Erde davor schütten und gebärdete sich wie ein Irrsinniger vor Freude, weil das Wasser nicht über die Erde fließen konnte, sich sammelte und weil sich Räder drehten, auf die das überfließende Wasser fiel, was sich jedes Kind denken kann, wenn es unter einem Wasserfall badet. Diese Bewegung benutzte Karl dazu, von dem Brotgetreide, das er überall zusammenholte, etwas abkratzen zu lassen. Das Schlechte, was übrig blieb, bekamen die Menschen. Karl sorgte dafür, dass die Menschen nur dies Schlechte kaufen können und mehr Geld dafür geben müssen als für das Korn. Um das zu erreichen, fährt er mit dem Wagen hin und her. Er will aber, dass die armen Menschen von dem verschlechterten Korn krank und schwach werden, denn er hat Papiere, die bezeugen, dass er reicher wird, wenn die Menschen ein Kräftigungsmittel kaufen, das sein Bruder mischen lässt. Ein anderer Bruder von ihm ist Wundermann und bekommt von den Armen Geld dafür, dass sie ihm vorklagen dürfen, wie schwach sie sind, und dass er ihnen auf ein Stück Papier aufschreibt, wie das Kräftigungsmittel heißt, das sie kaufen sollen. Außerdem aber kaufen die Menschen täglich ein Papier, in dem Karl schreiben lässt, dass das Kräftigungsmittel gut sei. Ich fragte, was denn in dem Mittel enthalten sei? Darauf sagte mir Karl, das dürfe niemand wissen. Da sehe ich nun also folgendes: Karl und seine Brüder fahren mit Wagen so viel umher, um dafür zu sorgen, dass die Menschen arm und dumm bleiben und freiwillig ihre Sklaven werden. Sie sorgen dafür, dass die Sklaven ohne Geld nicht leben können, dass sie aber von dem Gelde nie zuviel bekommen und nie aufhören zu arbeiten und von dem Gelde das zu kaufen, was sie in Armut und Krankheit hält und ihn reich macht. Die Kinder dieser Sklaven lernen lesen. Das aber ist ihr Unglück: denn Karl sorgt dafür, dass sie nur lesen, was dazu dient, ihn reicher, sie ärmer zu machen. Wenn sie nicht lesen könnten, würden sie den Namen des Kräftigungsmittels und das, was Karl darüber schreiben lässt, nicht kennen, sondern beobachten, was jeder Hutu weiß, dass der, der geröstetes Korn isst, gesund bleibt. Weil aber das Volk so ist, dass es nicht mehr beobachtet, sondern liest, und weil es den Unterschied zwischen wenigen Reichen und vielen

Armen als etwas Großes und Bewundernswertes ansieht, nennt es sich ein Kulturvolk.

Wie aber, fragst Du, wenn Karl und seine Brüder immer reicher werden, was geschieht mit dem Gelde? Dann bauen sie unnütze Häuser und beschäftigen die Sklaven damit. Oder sie stiften Geld, damit die Kranken, die Krüppel, die Bettler und die Verrückten ihnen nicht begegnen, sondern in schöne Häuser eingesperrt werden ... Wenn aber doch mit der Zeit zu viele Sklaven sich aus der Armut und dem Hunger erheben sollten, was sich nicht ganz vermeiden lässt, so sorgen sie dafür, dass große Zerstörungswerkzeuge alles, was gebaut wurde, vernichten und eine Not über das Land bringen. Auch dabei werden die Wenigen reicher, die Vielen ärmer. Die größte Freude der Wasungu aber ist das *Zählen*. Du hast es ja schon erlebt. Sie sind *wirklich* der Meinung, dass zehn Hütten zehn Hütten seien, und können sich nicht vorstellen, dass wir in Kitara es für unanständig halten, zu zählen, wieviel Hütten dastehen oder wieviel Körbe Matama[1] geerntet werden. Ich erinnere Dich an das Gespräch, das Du mit dem Sungu hattest, der Dich besuchte. Der Sungu schrieb in sein Buch und sagte: »Hier stehen also zehn Hütten.« Du sagtest ganz erschrocken: »Zehn? Nein, Herr, einige; vielleicht viele.« Da ging der Sungu hinaus und zeigte mit dem Finger auf jede Hütte und sagte laut: »Eins, zwei, drei ...« Als dies die Umstehenden hörten, packte sie ein Entsetzen, sie liefen davon und jammerten und opferten in ihren Hütten. Das brachte den Narren zum Glück davon ab, zu Ende zu zählen. Erschrocken sagte er zu Dir: »Sind es denn nicht zehn?« Du erbleichtest, batest ihn, auf dem Schemel niederzusitzen, der aus einem Stück Holz geschnitzt war, und sagtest: »Herr, eine Hütte ist zum Wohnen da; weiß man von außen, ob sie leer steht? Oder wenn Menschen darin wohnen, ob mit ihnen das Glück dort wohnt? Auch ist es

---

1   Negerhirse.

eigentlich keine Hütte; denn die Wahutu haben Stangen aus dem Kabegewald geholt und trockenes Gras von den Bergen, wo keine Rinder weiden, und das nennst Du, wenn es dort steht, eine Hütte. Aber es kann abbrennen, und dann ist es nicht mehr da, oder der Bewohner wird auf dem Berge beim Hüten der Rinder verwundet und kann nicht heim, dann ist es für ihn keine Hütte. Deshalb ist es ein Irrtum, wenn Du die Hütten zählst, und die Strafe Riangombes bleibt nicht aus, so Du es tust.« Da sagte der Sungu, indem er hochmütig lächelte: »Ihr seid eben ungebildet und abergläubisch; ich werde Euch mal Missionare schicken, die Euch den rechten Glauben und das Zählen beibringen, damit Ihr ein nützliches Kulturvolk werdet und Euch am Weltmarkt beteiligt; passt mal auf, hier wird es bald anders aussehen; die nackten Menschen werden Kleider kaufen können, jeder kriegt sein Haus aus Zement und eine Hausnummer dran und das Ganze eine Kirche und ein Gefängnis. Die Unkosten dafür werdet Ihr aufbringen oder Ihr werdet eingesperrt. Dann kommt Ordnung und Kultur in diese Gegend, und der Unsinn wird Euch aus den Köpfen getrieben, wenn nötig mit Gewalt.« So sagte er; nicht alle aber verstanden ihn.

An dieses Gespräch muss ich denken, wenn ich jetzt sehe, was den Wasungu geschah. Es war für Kitara ein Glück, dass erst mal der eine Sungu vom Elefanten am Russissi getötet wurde, so dass er mit in die Zahl kam, die zählt:

Auf der Jagd verunglückt 1910:
    A. Europäer
      a) ev. 3
      b) kath. 1
      c) Diss. –
    B. Eingeborene
      a) Christen ev. 8, kath. 10
      b) Heiden 13

Wie irrsinnig aber das Zählen ist, und dass es die Strafe der Gottheit nach sich zieht, das haben die Wasungu jetzt erfahren. Sie zählten die Schiffe, die auf dem Meere fuhren, die Menschen, die geboren wurden, die Kleider, die gesponnen wurden, das Korn, das geerntet wurde und wieviel mit Schiffen und Wagen hin und her gefahren wurde. Deshalb kam ein Krieg und nahm ihnen alle Schiffe, tötete die Menschen, verhinderte, dass Kleider gemacht wurden und verminderte das Getreide. Du glaubst nun, das bringe sie zur Besinnung? Nein! Was machen sie? Sie zählen und schreiben auf, wieviel Schiffe untergehen, wie lange der Krieg dauert, wieviel Menschen getötet, wie viele vor Angst irrsinnig wurden, wie viele verwundet wurden, wie viele von diesen wiederum an den einen, wie viele an den andern Gott glaubten. Sie tragen das in schöne Bücher ein, und die, die das anordnen, werden, wenn es fertig ist, »Herr Geheimer Ober« genannt, man macht Bilder von ihnen und sagt, sie seien berühmt. Es gibt also für die Wasungu kein eigentliches Unglück; denn auch das Unglück und der Tod verstehen sie zu zählen, und dann sind sie glücklich.

Die Freude des Zählens ist es auch, die sie hindert, dafür zu sorgen, dass das Unglück im armen Volke abnehme. Sie wissen, dass die Rauschgetränke dem Menschen schädlich sind. Es macht ihnen aber Freude, alle Jahre zählen zu können, wie viele Menschen im Rausche erschlagen wurden, wie viele Kinder von berauschten Eltern ohne Verstand geboren werden, wie viele Verbrechen der Pompetrank bringt, wie viele der verschiedenen Getränke nötig waren, um eine gewisse Menge Totschlag, Verarmung und Bosheit hervorzubringen, und wie viele Menschen deshalb in Gefängnisse eingesperrt werden. Es geschieht, dass sie in großen Gebäuden zusammenkommen und darüber sprechen, als sei es ein Fest, und alle freuen sich über die schönen Bücher mit den Zahlen von Mord, Totschlag, Hurerei und Krankheit. Zum Schluss feiern sie den »Geheimen Ober« und loben sich gegenseitig. Dann gehen sie hin und gießen selbst Rauschgetränke in ihren Hals und sprechen von der Menge, Farbe, Wärme des Getränkes und wieviel man hineintun kann.

Besonders witzig kommen sich die Wasungu vor, wenn sie zählen können, wie schnell die Menschen sterben, wenn man ihnen die Nahrung verschlechtert, viele in eine Hütte einsperrt oder sie zwingt, ununterbrochen dieselbe Sache zu machen. So zeigte mir Karl in einem schönen Buche an Zahlen, dass den gelehrten Wasungu ein großer Spaß gelungen sei. Vor fünfzig Jahren hatten alle Wasungu noch im Alter sehr schöne Zähne. Das sah ich selbst, als der Schädel eines alten Mannes aus einem Grabe genommen wurde, das weg musste, weil ein Weg nicht so gerade war, wie er bei den Wasungu sein muss. Früher also standen, ebenso wie heute, Rüben mit süßem Saft auf den Feldern, und die Menschen kochten diesen Saft ein. Dann sah er braun aus und floss langsam wie Honig. Da bemühten sich die Leute vom Schlage Karls, diesen Saft durch Maschinen, die nur sie haben durften, zu verändern. Sie machten weiße, feste Körner daraus, die wie Quarzsand aussehen. Nun wurde ein großer Lärm gemacht, dass das gelungen sei, mehrere Karle durften sich »Herr Ober« nennen und ein glänzendes Stück Messing über der Brustwarze befestigen, so dass die Menschen glauben mussten, das, was erfunden sei, sei etwas sehr viel Besseres und machte sie glücklicher, wenn sie es kauften. So gelang es den Karlen, dem Volk abzugewöhnen, das zu essen, was kostenlos auf den Feldern wächst, und es zu veranlassen, die Rüben an ein großes Haus abzuliefern, wo Feuer, Dampf, Rauch, verschiedener Radau und Gestank gemacht wurde, wo sich Räder drehten und angeschrieben stand »Eintritt verboten«. Diese ganze Sache wurde abends schön beleuchtet, und in einem kleineren Raum wurde viel Papier beschrieben. Mehrere Karle wurden sehr dick, trugen schöne Kleider und hatten immer große Rauchrollen im Munde, viele andere

Menschen wurden blass und sahen dreckig aus. Die weißen Körner aber wurden sehr teuer verkauft.

Jetzt wurden neue Zahlenkarle angestellt, die aufschreiben mussten, wie das dumme Volk jährlich mehr weiße Körner aß, wieviel Zähne deshalb verfaulten, wie viele Zahnzieher beschäftigt wurden und wieviel schneller die Menschen jetzt starben. Wenn jetzt einige Menschen sagten: wir wollen die weißen Körner nicht mehr bestellen, sondern wieder Rübensaft essen lassen, dann sagten die Zahnflicker: »Wozu sind wir denn da; wir müssen doch zu tun haben.« Und sie zeigten, wie groß ihr Geschick war, Zähne mit Gold zu füllen und ganze Gebisse aus Gold und Stein zu machen. Und die Karle, die die weißen Körner machen lassen und dadurch reicher werden, ließen schreiben, das weiße Zeug sei gesund; denn nach Versuchen eines geheimen Oberklugen, mit mehreren Metallstücken über den Brustwarzen, ginge es im Bauche des Menschen sofort ins Blut. Das glauben alle die Wasungu, die nicht Ober heißen, nichts Geheimes haben dürfen und keine Metallstücke auf der Brust tragen. Wie mit den süßen Rüben machen sie's nun auch mit dem Korn. Sie machen ein ganz staubiges, weiches Mehl daraus und geben die Lebensstoffe, die abgekratzt werden, den Tieren. Dadurch erreichen sie es, dass die Menschen schwach und krank werden und zum Wundermann gehen. Der schreibt auf, wie viele kommen, wie viele an der, wie viele an jener Krankheit leiden, und schickt die Zahl einem Zahlenkerl, der sich darüber freut und alle zusammenzählt. Damit sie mehr zu zählen haben, üben sie auch noch folgenden Aberglauben: Die Wunderpriester nehmen blutigen Eiter vom Bauch kranker Kälber, die getötet werden, schneiden den kleinen Kindern mit einem geheiligten Messer Schnitte in das Fleisch und schmieren von dem Eiter hinein. Es ist das ein Gottesgericht. Sie zählen dann, wie viele Kinder davon krank werden und wie viele sterben. Dies Gottesgericht üben die Priester als ihr heiliges Recht auch an jedem Fremdling, der die Grenze des Sungulandes überschreitet, und ich selbst bin ihm nur wie durch ein Wunder entgangen.

Die Wasungu sind für ihren Zahlenwahnsinn schwer bestraft worden. Es ist eine gewaltige Not gekommen und hat alles geändert. Sie sagen, Korn koste eine ganz bestimmte Anzahl Geldstücke.

Ihr Frevel ging so weit, dass sie sich anmaßten, eine ganz bestimmte Menge für diese bestimmte Anzahl zu handeln. Da fuhr eine zürnende Macht dazwischen und machte es, dass das Korn verschwand und das Geld verschiedenen Wert hatte. Da wurden selbst die Bäuche der Zahlenkarle vor Hunger kleiner – aber denke nicht, dass sie aufgehört hätten zu zählen. Das Ganze nennen sie eine Wissenschaft. Es ist also eine Wissenschaft vom Hin und Her unnützer Dinge, mit denen Narren das Volk verdummen und in Not halten.

In Schmerz und Leid und Demut, Dein

Lukanga.

Lfd. Nr.: 1
Name: Mukara
Vorname: Lukanga
Tag der Anmeldung: 4.4.1912
Religion: Heide
Geburtstag: unbek.
Geburtsort: Ukara
Staatsangehörigkeit: Kitara
Impfvermerk: Erfolg
Vorbestraft: –

Siebenter Brief

Wie die Deutschen ihren König feiern[1]

Berlin, den 1. Februar 1913

Mukama, Du Schlanker, wärmendes Licht!

Du bist der Größte der Könige. Aber auch der König der Wasungu ist stolz und mächtig. Unzählbar sind seine Krieger, blinkend ihre Waffen, groß ist ihr Mut. Sie lieben ihren König und ehren ihn, weil er edel gesinnt ist seinem Volke. Dein Knecht Lukanga kann dir Großes und Schönes berichten, wie Tausende junger Männer in Kraft und Schönheit dahergehen und Waffen zu tragen wissen. Das eine aber sähe Dein Auge, auch wenn es trübe wäre, und seine Sinne wüssten es, auch wenn Staub auf ihnen läge: die Wasungu ehren ihren König auf ihre Weise, die Wakintu Dich auf

---

1 Der Forscher Lukanga hat, wie dieser Brief zeigt, eine feucht-fröhliche Kaisergeburtstagsfeier in irgendeiner deutschen Kleinstadt mit angesehen. Der einzelne Leser möge selbst urteilen, ob Lukanga ein Recht hat, das, was er beobachtete, als allgemeine Sitte oder Unsitte hinzustellen und seinem Könige zu schildern, der von uns Deutschen ja den allerschlechtesten Begriff bekommen muss! Uns gibt das Eine zu denken: Lukanga, dieser aufmerksam beobachtende Ausländer, hat den Eindruck gewonnen, dass die Trinksitten und alle die Begleiterscheinungen des Feierns in festen und gewohnten Formen verliefen. Sollten wir selbst gar nicht mehr wissen, wie sehr das alles bei uns zur unbewussten Gewohnheit geworden ist? Jedenfalls wird Lukangas Sittenschilderung dazu beitragen, dass wir künftig unsere Feste auf andere Grundlage stellen als auf das »Hineingießen«, wie es Lukanga nennt.

andere Weise. So mächtig auch der König der Wasungu ist, die niedrigen Gebräuche seines Volkes vermag er nicht zu hindern. Und wisse:

Die Wakintu feiern den Tag Deiner Geburt durch Fasten; die Wasungu den Geburtstag ihres Königs, indem sie viel in ihren Bauch hineintun.

Dein Volk macht sich reiner und stärker aus Freude, dass Du lebst; die Wasungu dagegen versuchen, die Roheit ihrer Sitten zu Ehren ihres Königs bis zum Äußersten zu steigern. Sie verstehen ihn nicht, wenn er sagt: »Enthaltet Euch vom Hineingießen, das Euch unfähig macht, dem Vaterlande zu dienen.«

Den Wakintu befiehlt es der Brauch, der ewig bestand, dass in den Tagen, die Dir gehören, jeder auf seinem Berg weilen muss, solange die Sonne über dem Himmel kreist, und nur nachts darf er schweigend die eigene Hütte aufsuchen; die Wasungu kommen zum Ehrenfeste ihres Königs in geschlossenen Räumen zusammen, und was sie darin tun, will ich Dir schildern, weil ich es sah.

Es ist ein einziger Tag, den sie dem König opfern. Da gehen sie dann hin und treffen sich mit vielen anderen, um Speisen und Flüssigkeiten in ihren Leib hineinzutun.

Sie sitzen an diesem Tage an langen Tischen und schlucken so, wie ich es Dir im vorletzten Briefe beschrieb. Auch gießen sie viel Flüssigkeit in ihren Magen und trinken wie Menschen, welche einen weiten Weg im Sonnenbrand gegangen sind und Durst haben. Es gilt eines Mannes unwürdig, Flüssigkeit in einzelnen Schlucken zu nehmen und mit Speichel zu vermengen, und je mehr einer gleichmäßig und ohne zu unterbrechen hinunterschluckt, desto höher steht er in der Achtung der anderen.

Das Getränk ist so wichtig, dass an diesem Tage von nichts anderem gesprochen werden darf, als von der Art, Farbe, Menge, Wärme des Getränks, von der Art, wie man es hineingießt, und wie man es wieder von sich gibt. Nur einmal darf vom Könige gesprochen werden, da steht der dickste Mann auf, nennt den Namen des Königs, und alle rufen: »Ra! Ra! Ra!« Dabei stehen sie und halten ein Gefäß mit Pombe zwischen die beiden Brustwarzen, und wenn das letzte »Ra« gerufen ist, gießen sie den ganzen Inhalt des Gefäßes in ihre Halsöffnung, atmen tief aus und setzen sich wieder hin.

Danach sind alle ruhig, bis die Gefäße wieder vollgeschenkt sind, und dann sprechen sie wieder von der Art, Farbe, Menge und Wärme des Getränks und wie man es hineingießt.

Besonders zeichnen sich dabei Männer aus, die einmal an einem Flusse gewohnt haben, der Mosel heißt. Diese dürfen nur aus besonders geformten Gefäßen[2] trinken und müssen, bevor sie hineingießen, das Trinkgefäß erst dreimal vor dem Munde kreisend umherbewegen.

Sie dürfen dabei nicht lachen, sondern müssen sehr ernst aussehen. Sie genießen bei den Trinkenden das größte Ansehen und bemühen sich durch blaue Adern auf der Nase und durch harte Adern, die wie Würmer an den Schläfen hervortreten, jedem kenntlich zu sein. Der Häuptling des Festes ist kenntlich durch seine dicke Gestalt und durch viele Ziernarben, die er im Gesicht hat. Auf der Nase trägt er einen goldenen Draht mit zwei Glasstücken, durch die er hindurchsehen muss. Der Schmuck der Ziernarben ist nicht jedem erlaubt, und er gilt als ein Vorrecht solcher Männer, welche nicht arbeiten, sondern viel trinken, und, wenn sie Roheiten verüben, nicht bestraft werden.

Die Wasungu sind sehr ungeschickt im Schneiden der Narben oder haben keine Sinn für Schönheit; denn die Schnitte gehen hin und her durch das Gesicht, und oft wird ein Ohr oder die Nase

---

2   Lukanga spricht von den sogenannten »Römern«, runden Glasgefäßen, aus denen »Kenner« den durch Gärung verdorbenen Saft der edlen Weintrauben zu trinken pflegen.

mit durchschnitten. Sie finden aber die Ziernarben schön; denn sie tragen sie nur auf unbekleideten Stellen des Körpers und lassen andere frei, obwohl dort mehr Fleisch und mehr Hautfläche ist. Die Kunst, Schnitte in Lippen, Nasenflügeln und Ohren offen zu halten, ist nicht bekannt. Nur Frauen bohren Löcher in ihre Ohren und hängen Metall und Steine hinein.

Während sie sitzen und und Gemengtes und Erhitztes schlucken, üben sie folgenden Gebrauch: Einer ruft den anderen an, hält ihm ein gefülltes Gefäß entgegen und sagt: »Zum Bauche«[3] oder »Prost«. Dann gießt er hinein. Der Angerufene ergreift ebenfalls ein gefülltes Gefäß, springt auf und gießt in seinen Hals hinein. Dann hält er das leere Gefäß zwischen die Brustwarzen, sieht den, der ihn angerufen hat, mit stierem Blick an, setzt sich wieder hin und atmet tief aus. Dann lässt er sein Trinkgefäß wieder füllen und spricht mit denen, die bei ihm sitzen, über Farbe, Menge, Art der Getränke und wieviel man hineintun kann.

Wenn sie Fett vom Unterleib eines getöteten Schweines schlucken, bringen die Diener jedem Schlucker ein kleines Gefäß mit scharfem Pombe. Dann sind alle stille und heben das Gefäß

---

3 Was Lukanga mit dem Ausdruck: »zum Bauch« meint, ist nicht ohne weiteres verständlich. Offenbar hat er den Fehler gemacht, dem sehr häufig Forscher erliegen, die nur kurze Zeit in einem fremden Lande sind: er hat eine vereinzelte Beobachtung verallgemeinert. Wahrscheinlich meint er mit »zum Bauche« die Wendung: »möge es Ihnen zum Schmerbauche gereichen«. Diese Wendung wird bekanntlich von solchen, welche auf Reinheit der Sprache halten, statt des lateinischen Wortes »Prosit« gebraucht. Ihre Anwendung ist aber meines Wissens leider noch nicht so häufig, dass man sie schon als Regel ansehen könnte.

in die Höhe[4]. Der Dickste pfeift, alle stoßen eine Pfiff aus und gießen die Flüssigkeit schnell in ihren Hals.

Dann sprechen sie wieder über Menge, Farbe, Wärme der Getränke und wieviel man hineintun kann.

Wenn sie sehr viel Gemengtes und Erhitztes geschluckt haben und viel Rauschgift hineingegossen, dann lassen sie richtige Nahrung bringen: Diener bringen Schalen mit Früchten. Aber niemand nimmt davon. Danach werden kleine Waschbecken gebracht, zum Waschen der Finger. Jetzt üben sie folgenden Brauch: Einer nimmt sein Trinkgefäß, geht zu einem anderen hin, zwingt ihn, aufzustehen und sein Trinkgefäß vor sich zu halten, und sagt einen der drei folgenden Sätze: »Ich kenne deinen Bruder.« oder »Wie geht es deinem Vater?« oder »Ich sah deine Schwester.« Und dann sagt er »Prost«, beide stoßen ihre Trinkgefäße aneinander, so dass die Ränder, an denen Speichel klebt, sich berühren, trinken ihr Gefäß aus, halten es in Höhe der Nase vor sich und sehen sich scharf an. Dann gehen sie auf ihre Sitzplätze zurück und sprechen wieder mit denen, die bei ihnen sitzen, über Farbe, Wärme, Art der Getränke und wieviel man hineintut.

Dann beginnt das Rauchmachen. Sie lassen gerollte trockene Blätter einer seltenen Pflanze kommen, reiben Feuer und zünden die Rollen an einem Ende an. Das andere Ende halten sie mit den Zähnen fest, schließen die Lippen und saugen, so dass Rauch in den Mund hineingeht. Aus dem Mund blasen sie den Rauch in die Luft, und dann ist bald der ganze Raum mit Rauch erfüllte, den sie ausgeblasen haben.

---

4 Auch hierbei handelt sich's, wie ich festgestellt habe, nur um eine örtlich begrenzte, nicht allgemein verbreitete Sitte, dass nämlich nach einem fetten Gericht eine »Runde« Schnaps genossen wird.

Von der Zeit an sprechen alle über die Art der Rauchrollen, wieviel Rauchrollen jeder einzelne täglich verbrennt, ob er an kleinen oder großen Rollen saugt und wieviel die einzelne Rauchrolle kostet. Dabei machen alle sehr ernste Mienen. Jetzt lassen sie Gefäße mit einer braunen, stinkenden Flüssigkeit[5] hinstellen und sprechen sehr laut von dem weißen Schaum, der auf der Flüssigkeit schwimmt und den sie »die Blume« nennen. »Die Blume kommt zu dir.« oder »Prost Blume«.

Wenn das Rauchmachen begonnen hat, gehen sie einzeln hinaus und kommen nach kurzer Zeit wieder herein. Jetzt wird sehr laut geschrien, wodurch der Dank für das gelungene Fest ausgedrückt wird.

Besonders beliebt ist das Folgende: Zwei Männer schreien sich gegenseitig an und sagen: »Komm mit mir hinaus.« Sie stehen dann auf, nehmen ihre Rauchrollen mit und kommen nach einiger Zeit mit geröteten Gesichtern wieder herein.

Während sie hinausgehen und hereinkommen, sind alle anderen still. Diese Stille heißt das Abtrittspiel, und der Raum, in dem gespielt wird, heiß der Raum der Ehre[6].

Das Spiel selbst ist so: Einer sagt zum anderen: »Du hast mich angesehen«, darauf sagt der andere: »Du Schwein«. Dann nehmen sie die Rauchrollen in die linke Hand und hauen sich gegenseitig mit der rechten Hand ins Gesicht. Danach stecken sie die Rauchrollen wieder in den Mund, greifen in eine Kleidertasche und geben

---

5 Dass Bier auf den unverdorbenen Geruchssinn des Naturkindes widerlich wirkt, ist sehr beachtenswert!

6 Es ist, wie mir ein früherer Korpsstudent (also ein Sachverständiger) mitteilt, in der Tat recht allgemein üblich, dass solche Auseinandersetzungen und Forderungen auf dem angedeuteten Ort stattfinden, weil er der geheimste ist.

sich gegenseitig ein kleines Stück weiße Pappe. Damit ist das Spiel beendet, und sie gehen wieder hinein, um Getränke hineinzugießen.

Dies Spiel hat bei den Wasungu große Bedeutung. Sie wissen nämlich, dass durch ihre rohen Sitten das Gute in ihnen getötet wird. Sie wollen aber von ihren Sitten nicht abstehen und können sich nicht bessern. Deshalb schaffen sie sich einen Aberglauben und begehen eine sichtbare Handlung, welche an sich zwar roh ist, dennoch aber von allen anerkannt wird, weil sie nichts Besseres wissen.

Der Aberglaube ist dieser: Sie denken sich, dass es eine feindliche Macht gebe, die das Gute in ihnen geschändet habe. Da sie aber nicht anerkennen wollen, dass das Gute in ihnen wirklich verletzt worden sei, nehmen sie an, dass es noch etwas zwischen dem Guten und der feindlichen Macht gebe. Und dies nennen sie mit einem Wort »Ehre«. Sie sagen nun nie, dass sie schlecht seien, sondern sagen, die »Ehre« sei verletzt, und wie alle tiefstehenden Völker mit niedrigen Sitten suchen sie sich einen Feind, hauen oder schlachten den und glauben, dadurch selbst wieder gut zu werden.

Ja, Mukama, Du wirst Dir dies kaum vorstellen können, da Dich lauter selbstbewusste, gebildete Männer umgeben, bei den Wasungu aber gibt es viele, die fortwährend Reue empfinden über ihr schlechtes Tun und deshalb andere Menschen hauen wollen. Sie glauben, dass ein Mensch durch rohe Gesinnung gegen andere eigene Fehler wiedergutmachen könne. Daraus ist ein gewisses Vorrecht entstanden, das die, welche reich und mächtig sind, für sich beanspruchen. Diese sagen, nur sie hätten »Ehre« und dürften deshalb andere hauen und töten. Wer aber mit der Kraft seiner Arme arbeitet, wie es die Natur befiehlt, der hat keine »Ehre« nötig, weil er ja ohnehin stolz und zufrieden sein kann.

Da es unter den Wasungu viele gibt, welche nicht mit den Händen arbeiten und nie eine Frucht essen, um die sie die gütige Erde selbst baten, kommt es, dass in jedem Hause, in dem viele

Wasungu zusammenkommen, ein besonderer Raum der Ehre vorhanden ist. Dieser Raum dient allen den Unglücklichen, welche nicht mit sich zufrieden sein dürfen, dazu, ihre »Ehre« wieder gutzumachen. Der Raum ist mit Steinplatten verkleidet, spiegelnde Glasscheiben hängen an den Wänden, darunter fließt Wasser durch schöne Becken. Damit es aber nie an Zeugen fehlt, die an dem Hauen der Ehre nicht teilhaben, dient der Raum noch zu anderen Zwecken, die ich Dir nicht schildern kann. Das ist also der Raum, in dem das Spiel gespielt wird, welches das Abtrittspiel heißt.

Außer diesem ist noch ein anderes allgemein beliebt: Der dicke Häuptling des Festes befiehlt allen, mit den Trinkgefäßen auf den Tisch zu hauen. Dann müssen alle den Inhalt ihrer Trinkgefäße zugleich und auf einmal in ihren Hals hineinschütten. Sie nennen das Spiel die »Eidechse«[7]. Nie sah Dein Knecht Lukanga etwas Niedrigeres als dieses Spiel.

Danach beginnt das Ausspeien der hineingegossenen Flüssigkeiten. Dazu ist in dem Raum der Ehre ein besonderer, prächtig ausgestatteter und gehöhlter Opferstein, an den die Speienden einzeln herantreten. Sie halten sich, während sie ausspeien, an zwei Handgriffen, die über dem Stein befestigt sind.

Damit hat die Feier ihren Höhepunkt erreicht. Jetzt sagt jeder von einem anderen, er habe zuviel hineingegossen, und habe deshalb seinen Verstand mehr, als es üblich sei, zerstört, er selber aber habe es gerade richtig gemacht, denn er wisse, wann er genug habe. So entsteht wieder ein sehr lautes Gespräch, und einige sprechen auch über die Körperformen der Frauen und Pferde.

---

7   Für »Salamander« sagt Lukanga »Eidechse«. Es war nicht festzustellen, ob nur, weil beide Tiere vielleicht in Kitara denselben Namen haben, oder ob es in Kitara keine Salamander gibt.

Der Häuptling aber leitet das Fest noch immer. Sein Ruf wird gehörte, weil er mit dem abgebrochenen Bein eines Stuhles auf den Tisch schlägt. Durch den Rauch kann niemand hindurchsehen.

Jetzt lässt der Häuptling alle leergetrunkenen Gefäße aufstellen und mit solchen, die noch nicht ausgegossen sind, nach den leeren werfen.

Dann lässt er sich ein heiliges Buch bringen, setzt sich unter den Tisch und beginnt laut zu weinen[8].

Dies ist das Zeichen, dass alle weinen, wobei sie sich an den Armen umfassen und ihre Lippen gegenseitig aneinanderdrücken. Mit den glühenden Rauchrollen aber brennen sie sich Löcher in ihre Kleider. Das ist das Ende des Festes. Jetzt kommen Diener und tragen die, welche sich vor Freude totstellen, in Wagen hinein, mit denen sie in ihre Hütten gebracht werden.

So feiern die Wasungu den Tag ihres Königs. Sie verhöhnen das Gebot der Nüchternheit, das er ihnen gab. Sie machten sich untauglich, Waffen zu tragen, und kein Tag ist ihren Feinden zum Angriff günstiger, keiner schädigt ihre Kraft mehr als dieser. In allen Städten ist es das gleiche. An diesem Tag darf niemand die Kraft seiner Sinne behalten. Es würde ihm den Hass und die Verfolgung der Mitbürger einbringen.

Gütiger Herr, siehe, solches zu sehen ward gegeben
Deinem Diener

Lukanga Mukara.

---

8   Da hat also einer das »heulende Elend« bekommen und mit der Bibel unterm Tisch gesessen. Gewiss eine sehr rührende, aber zugleich bedauernde Szene. Aber gottlob können wir sagen, auch wieder nur ein vereinzelter Fall.

Achter Brief

Über das Rauchstinken der Wasungu

Berlin, den 15. Juli 1913

Mukama!

Das Buch Hiob schildert den Leviathan im 41. Kapitel: Aus seinem Munde fahren Fackeln, und feurige Funken schießen heraus. Aus seiner Nase geht Rauch, wie von heißen Töpfen und Kesseln. Sein Herz ist so hart wie ein Stein (verkalkt!).

Mukama!

In Ibrahimus Brief lese ich, Du fragst nach der Sitte des Rauchstinkens. Er schreibt: »Der König ließ die trockenen Stinkblätter, die Du sandtest, in eine leere Hütte bringen und anzünden. Der ganze Hof war zugegen; alle rochen den Rauch und husteten. Es ist unbegreiflich, wie Menschen den Rauch ertragen können. Es war aber ein Mann von Karagwe da, der kannte die Blätter; er sagte, man müsse sie in der Hand zerreiben, in die Nase einatmen und die Nasenlöcher durch eine Klammer verschließen. Solchen Brauch habe er bei einem Volke kennengelernt.« Das schreibt Ibrahimu. Anders aber ist die Sitte der Wasangu.

Sie rollen die trockenen Stinkblätter zusammen und tragen von diesen Rollen stets einen Vorrat in ihrem Kleide mit sich. Sie tragen aber auch kleine Holzstücke zum Feuerreiben in einer Tasche des Kleidergewebes. Der Sungu, der rauchstinken will, nimmt eine Rauchrolle aus der Tasche, beißt mit den Schneidezähnen die Spitze der Rolle ab und spuckt sie aus. Mancher verstärkt die Kraft der Zähne, indem er sich beim Abbeißen der Spitze mit der Hand auf den Kopf haut. Dann bläst er Luft durch die Rauchrolle und steckt sie mit einer Seite in den Mund. Er hält sie mit den Lippen fest. Dann reibt er Feuer und steckt die Rolle an dem Ende, das aus dem Munde heraushängt, in Brand, wobei er Luft durch die Rolle hindurchsaugt. Dies Luft vermengt sich nun mit dem Rauch, und der Rauch dringt in den Rachen des Sungu. Dann bläst er ihn aus, wobei er entweder neben der Rolle die Lippen ein wenig öffnet oder die Rauchrolle, während der Rauch entströmt, in die Hand nimmt. Manche aber saugen den Rauch in die Lunge ein und blasen ihn aus den Nasenlöchern aus. Wahrscheinlich lacht Ihr und wollt nicht glauben, was ich schreibe; denn es ist unglaublich, dass ein Mensch aus seinem Munde Rauch bläst. Ich habe mich aber an diesen Anblick schon so gewöhnt, dass ich nicht mehr darüber lache.

Die Rauchrollen glühen nur; sie brennen nicht. Die Asche aber wird in kleine Gefäße getan, die in den Häusern überall aufgestellt sind, wo Rauchstinker wohnen.

Nicht alle Wasungu stinken Rauch. Man unterscheidet Stinker und Nichtstinker und unter den Stinkern wieder starke Stinker und solche, die nur manchmal Rauch machen. Die Unterscheidung ist sehr wichtig, weil sie den Wasungu Gelegenheit gibt, darüber zu sprechen, ein Gespräch mit einem Unbekannten zu beginnen und zu zählen, wieviele Rauchrollen jeder einzelne täglich verbrennt. Sie sprechen dann auch von der Größe und Farbe der Rauchrollen, wo die Blätter gewachsen sind und wieviel Geld die Rollen kosten. Oft höre ich ein solches Gespräch: Einer fragt: »Willst Du eine Rauchrolle?« Der andere sagt: »Nein, ich mache nicht Rauch.« Dann sagt der erste seinen Namen und wippt dabei mit dem Oberkörper nach vorn. Dann erklärt der Rauchstinker, es sei eine Gewohnheit, die er nicht lassen könne; alles andere könne er entbehren, nur Rauch müsse er stinken, er stinke schon soundsoviel Jahre, jetzt habe es ihm der Medizinmann verboten. Er mache es deshalb heimlich, er habe ein krankes Herz und versteinerte Blutadern und oft Schwindel im Kopf; es gäbe Rauchrollen, die weniger schädlich sein sollen, aber die schmecken nicht so gut, und sein

Vater und dessen Brüder, alle hätten auch immer ihren Rauch gestunken, ein Vetter von ihm aber sei Nichtstinker, und in der letzten Woche seien die Rauchrollen wieder teurer geworden.

Ist nun der andere auch Stinker, so ziehen beide ihre Rauchrollen hervor und tauschen je eine aus. Dann schreiben sie auf, wo der andere die Rauchrollen gekauft hat. Meist sind diese Gespräche in den Wagen, in denen die Wasungu fahren, um dorthin zu kommen, wo sie zusammen mit anderen Halbverrückten ihre Narrheiten verrichten. Diese Wagen werden übrigens eingeteilt in solche für Rauchstinker und andere für Nichtstinker. Es steht groß angeschrieben.

Nur wenige Frauen stinken Rauch. Es ist Sitte, wenn eine Frau dabei ist, sie zu fragen, ob sie es erlaubt, dass gestunken werde, und ihr erst dann Rauch ins Gesicht zu blasen. Sobald die Luft schlecht genug ist, wird darüber gesprochen, ob eine Tür aufgemacht werden soll. Einige sagen ja und andere nein. So entsteht überall Gespräch.

Auch die Fragen beschäftigen den Sungu sehr: in welchem Alter die Kinder anfangen dürfen, an Rauchrollen zu lutschen, ob Frauen ein Recht haben, an Rauchrollen zu ziehen, und in welchem Alter die erwachsenen Männer aufhören müssen, Rauch zu stinken, weil es für sie lebensgefährlich wird. Die Wasungu sagen, dass die heutige Jugend früher anfange, Rauch zu stinken, als sie selbst angefangen hätten, und dass es deshalb nötig sei, die Kinder mehr zu hauen. Frauen haben früher nicht Rauch geblasen; jetzt aber ist es üblich geworden, dass sie zerhackte Stinkblätter, die in Briefpapier eingewickelt sind, rauchstinken.

Die Folgen des Rauchstinkens sollen mannigfaltig sein. Die Stinker sterben früher als die Nichtstinker, was allerdings eine Freude ist für die, die sich von dem Unterschiede der Zahlen ernähren, die Zahlenkarle. Viele bekommen Geschwüre in den Magen, die Lungen verfaulen frühzeitig, die Blutadern werden steinig, der Kopf schmerzt, und die Kinder der Rauchstinker sind kränklich.

Die Unsitte des Rauchstinkens ist wieder ein Teil dessen, was die Wasungu in ihrer Sprache eine »gesunde Volkswirtschaft« nennen. Es ist unverständlich, nicht wahr, dass eine ungesunde Gewohnheit als etwas Gesundes bezeichnet wird? Das kommt aber so, und in ihrer allgemeinen Narrheit merken sie es gar nicht: Weil viele Wasungu durch Rauchstinken ihr Leben verkürzen wollen, müssen sehr viele Menschen, Männer, Frauen, Kinder in die Häuser fahren, wo Rauchrollen gewickelt werden und dort arbeiten. Sie bekommen dafür Geld und kaufen sich dafür Brot. Weil aber Ackerfeld zum Anbau der Stinkpflanzen gebraucht wird, wird die Ackerfläche für Brotgetreide kleiner und das Brot teurer. Um satt essen zu können, müssen deshalb die Arbeiter länger Rauchrollen drehn, damit sie mehr Geld bekommen, um Brot zu kaufen. Würden nun eines Tages weniger Rauchrollen gebraucht, so sagen die Zahlenkerle, würden die Stinkblätterarbeiter brotlos. Und auch die Menschen, die Rauchrollen zum Verkauf anbieten, wollen nicht, dass weniger gestunken werde. Auch die Narren, die die Gefäße für die Asche machen, wollen es nicht. Und weil von jeder Rauchrolle etwas für die Regierung bezahlt wird, will es die Regierung auch nicht, denn dann kann sie die Zahlenkarle nicht bezahlen und die Männer, die die Rauchrollen zählen, und die Obernarren, die über die Schändlichkeit des Rauchstinkens schreiben. Sie alle glauben also, dann brotlos zu werden. Auch gibt es Wundermänner, die den krank gewordenen Stinkern den Rat geben, weniger Rauch zu stinken, und die dafür Geld bekommen, für das sie sich Brot kaufen. Und auch andere, die eine Arznei machen gegen die Verhärtung der Adern und das teuer verkaufen. Sie alle glauben, kein Geld und kein Brot zu haben, wenn weniger Rauch gestunken würde. Deshalb wird nicht nur vor dem Rauchen gewarnt, sondern überall steht angeschrieben: Machet Rauch! Niemand achtet darauf, dass ja das Brot billiger wäre, wenn die Menschen, die in den Häusern Rauchrollen machen, auf den Acker gingen, auf dem jetzt Stinkblätter gezogen werden, und dort Korn bauten. Ja, die Zahlenkerle fürchten, dass diese Menschen das, was sie essen wollen, selber bauen und dass dann keine Wagen hin und her zu fahren brauchten und dass die Menschen, weil sie eine gesunde Arbeit haben, zu lange leben und deshalb mehr Brot verbrauchen würden. Deshalb also nennen sie das Machen von Rauchrollen eine blühende Tätigkeit und sprechen von einer gesunden, volkswirtschaftlichen Entwicklung. Es scheint aber, dass die, welche das Rauchstinken gewöhnt sind, eine Sucht danach haben und schwer davon lassen können. Sei deshalb froh, dass die Unsitte in Kitara unbekannt ist.

Dies ist, was Dir Lukanga über das Rauchstinken der Wasungu zu sagen hat.

Gütiger Herr, hüte Kitara vor den Rauchstinkern.

Dein

Lukanga Mukara.

Neunter Brief

Lukanga auf dem Hohen Meißner

Birkhain, den 15. Oktober 1913.

Mukama, Herr der Rinder!

Seit drei Monden bin ich wieder in einer Einsamkeit und lebe auf einem Berge und in einem Walde. Hier traf mich beides: Regen und Sonne; beides: Kälte und Wärme; beides: Leid und Freude, bis endlich die Freude größer war, und das war in den letzten Tagen. Es kamen da die, welche mich lehrten, dass es eine große Hoffnung gibt in dem Volke der Wasungu. Von ihnen will ich Dir jetzt erzählen.

Als ich zum Bergwald zog, war die Zeit der Kornernte, dann begann der Gras- und Kräuterschnitt, und als der Mond wiederkehrte, gruben die Bauern die Knollen aus der Erde und pflückten die Früchte. Da war es eines Morgens. Ich hatte die wilden Horntiere belauscht, die in dem Wald brüllten, weil die Zeit ihrer Zeugung war, und ich hatte an Weisheit zugenommen, denn auch in diesem Lande sind die Tiere die einzigen Lehrmeister des Menschen. Nun legte ich mich in meiner Grashütte am Bergbache zur Ruhe. Da hörte ich unten am Wege Stimmen und erkannte in einem Rudel junger Wasungu einen Bekannten, den Mann vom Stamme der Korongo. Ich schnürte mein Bündel und eilte den Wanderern nach. Ich ergriff die Hand des Korongo. Er freute sich, und alle waren gut zu mir, die Knaben und die Mädchen. Denn auch Mädchen waren darunter, und ich sah, dass diese schön waren. Gehen konnten sie und springen; sprechen, lachen und singen. Sie hatten kein Leibgerüst und keine Zwangsschuhe. Sie trugen keine Steißfedern wilder Tiere auf dem Kopfe. Ihr eigenes Haar hing in goldenen Flechten über den Rücken, und Kränze roter Beeren schmückten die Köpfe. Als Lukanga das alles sah, war er froh und folgte ihnen, wohin sie gingen: den Berg hinab und wieder auf einen andern Berg hinauf, wo ein alter Häuptlingssitz emporragte.[1]

Hier kamen viele Jünglinge und Mädchen zusammen. Sie setzten sich nieder. Einer sprach, und die andern hörten zu, was der Sprecher sagte.

Mukama, als ich selbst es hörte, wusste ich Neues. Ich wusste, dass es Schlechtes gibt, von dem sich dies Volk befreien kann. Und ich sah, dass die Wasungu Kinder haben, die Großes leisten werden.

Da stand ein Sungu auf und sagte: »Wir wollen, dass jeder Sungu Land habe, und hassen es, dass viele beisammen wohnen. Nur wer Land hat und eine Vaterhütte, hat eine Heimat und kann für das Volkland kämpfen.« Und alle riefen laut, als Zeichen, dass auch sie das wollten, so, wie er es sagte.

Da sagte ein anderer: »Wir wollen uns freuen über unser Volk, was es kann und was es ist, und wollen zusammenhalten, weil wir Kinder eines Volkes sind. Wir sprechen alle dieselbe Sprache, wir kennen gemeinsame Taten der Väter; so tun wir denn, was wir tun, als Glieder eines Volkes: wir sind Wasungu.« Wenn Du, Mukama, nun denkst, ich hätte nicht mitgerufen, als ich das hörte, dann irrst Du dich. Ich erkannte, dass es göttlich ist, wenn jedes Volk seine eigene Größe hat.

Es sprachen aber auch welche, die es anders wollten als diese alle. Sie sagten: »Wir wollen eine Unterschied machen zwischen Jungen und Alten: die Jungen sind nämlich klug, die Alten dumm. Wir wollen niemand gehorchen und jeden, der für sein Volk etwas tut, auslachen. Wir wollen nämlich nur an uns denken. Denken und Jungsein allein genügt.« Das riefen nur einige, die andern sagten: »Was du sagst, kannst du selbst wollen; wir aber wollen es nicht, wir wollen das andere.« Und das war gut, denn dies ist

---

1   Burg Hanstein.

nämlich der alte Fehler der Wasungu: Immer wieder hat es bei ihnen welche gegeben, die das Gute vor sich sahen. Weil aber mehrere Wege hinführten, haben sie sich erst untereinander gestritten, welcher Weg der beste sei. Und das haben sie ganz gründlich gemacht und haben dabei viel in sich hineingegossen, bis sie überhaupt keine Lust mehr hatten, nach dem Guten hinzugehen, und andere Völker sich das Gute nahmen.

Es sprach dann ein erfahrener Mann, den alle kannten, weil er viel gedacht hat und es den andern geschrieben, wenn er etwas gefunden hatte.[2] Er sagte: »Wir wollen dafür sein, dass jeder Sungu die Sachen sagt, wie sie sind, und nicht, wie sie nicht sind. Wir wollen auch, dass jeder, der falsche Sachen sagt, ein schlechter Mensch genannt werde.« Und alle riefen laut.

Dann sagte wieder einer: »Wir haben eigene Lieder, die wollen wir singen, und Reigen, die wollen wir springen, und wenn wir das tun, wollen wir in das Land hinausgehen, von einem Berg zum andern und uns freuen. Wir wollen aber vorbeigehen an allen Orten, wo Schlucker sitzen und Lärm hören, denn da ist alles beisammen, was nicht Art echter Wasungu ist: Schlucken und Hineingießen und Rauchblasen und Mädchen mit Haaren anderer Menschen und mit Steißfedern wilder Tiere.«

Da riefen alle laut, und einer trat vor und sagte: »Ja, das ist es. Wir wollen überhaupt nicht mehr Rauch machen und hineingießen. Unser Atem soll nicht stinken, und unser Schluck soll nicht rülpsen, dann werden wir auch immer rein und jung bleiben, und unser ganzes Volk wird klug und stark sein, und die ganze Welt wird es an unserer Schönheit und an unsern Taten sehen, dass wir die Wasungu sind.« Jetzt schrie die ganze Menge einen lauten Ruf.

Mukama, ich war Zeuge eines gewaltigen Feuers, das in den Herzen edler Menschen abbrannte.

---

2   Das war Avenarius.

Diese jungen Menschen riefen Freude, weil es ihnen erlaubt sein sollte, täglich etwas für ihr Volk und Land zu tun. Ich fühlte dies: Die Wasungu werden jetzt sehr groß werden, weil die Zeit der Mästlinge sehr klein werden wird.

Sie sprachen noch viel, und einer nach dem andern trat vor. Ein jeder erschien mir schöner als der andere, und jede Stimme entzückte mich. Ich dachte zwei Gedanken: Achtzehn Monde wohnte ich in Kitara und sah den neuen Berg entstehen, der glühend aus der Erde quoll[3].

Ebensolange bin ich im Lande der Wasungu und sehe jetzt das neue Volk entstehen, auf dem Berge, bei den Wäldern.

Als es Nacht war, gingen alle, und auch die Korongo, den Berg hinab und wanderten bis in die Mitternacht. Und ich folgte ihnen. Sie gingen aber und sangen, und einer spielte dazu auf dem Fadenholz. Sie sangen von Blumen und Tieren, von Knaben und Mädchen, von Kampf und Liebe und Volkland.

Am Morgen stiegen sie früh auf einen andern Berg hinauf[4]. Es ist nämlich ein Gesetz dieser jungen Wasungu, dass niemand weitersprechen darf, wo er schon einen Tag gesprochen hat. Sie wissen, dass die Gedanken des Menschen rein werden durch weiten Weg. Deshalb gehen sie auf einen andern Berg, bevor sie weitersprechen.

Die Jahreszeit war kalt. Wir aber wurden beim Gehen warm und badeten im Bergbache, unter hohen Bäumen. Dann gingen wir auf eine Wiese und fanden Menschen da, soviel wie Gras.

Sie sprachen im Kreis und fassten sich an den Händen, sie sangen und tanzten. Sie tanzten mit nackten Füßen, wie wir es tun in Kitara. Und obwohl sie bekleidet waren, waren sie schön; denn ihre Kleider waren anders als die anderer Wasungu. So war ich froh bei ihnen bis zum Abend. Da brannten sie ein hohes Feuer an und

---

3   Kitara ist ein Land mit Vulkanen, die noch tätig sind.

4   Hoher Meißner (Kasseler Kuppe).

sangen. Dann schwiegen alle, und einer stand am Feuer und sprach die Sprache der Wasungu[5]. Rundum war Nacht, und der Mond schien und die Sterne. Um den Berg aber lag das Land, dessen Feuer hier oben brannte.

Ich sah die Gestalten von jungen Männern und Mädchen. Ich sah ihre Augen und Feuerglanz darin. Ich sah, als Fremder, die Zukunft eines Menschenvolkes.

Da sangen tausend Stimmen das Lied: »Groß ist uns das Land der Wasungu.« Ein Wind wehte die Flamme hoch. Ich aber beugte den Kopf und weinte.

Großer König, Du sandtest aus Deinen Diener

Lukanga Mukara.

---

5   Knud Ahlborn.

Lightning Source UK Ltd.
Milton Keynes UK
UKHW052133221222
414357UK00010B/292